QUINTESSÊNCIA

LEI DA ATRAÇÃO ACELERADA

Autor:
William Sanches

Revisão:
Larissa Robbi Ribeiro
Equipe Citadel

Projeto gráfico e capa:
Claudio Szeibel

DADOS INTERNACIONAIS DE CATALOGAÇÃO NA PUBLICAÇÃO (CIP)

Sanches, William
     Quintessência : Lei da atração acelerada / William Sanches.
– São Paulo : Citadel, 2023.
  424 p.

ISBN 978-65-5047-206-1

1. Sucesso 2. Desenvolvimento pessoal 3. Pensamento novo
4. Autorrealização I. Título

23-0330   CDD 158.1

Angélica Ilacqua - Bibliotecária - CRB-8/7057

Produção editorial e distribuição:

 contato@citadel.com.br
www.citadel.com.br

WILLIAM SANCHES

QUINTESSÊNCIA
LEI DA ATRAÇÃO ACELERADA

CITADEL
Grupo Editorial

2023

SUMÁRIO

PREFÁCIO

Eu conheci o William Sanches por volta de 2005, durante uma de suas inúmeras palestras no Perseverança, em São Paulo, onde eu morava. Logo de cara senti que ele era um ser humano único e iluminado. Seu jeito de falar me encantou, assim como o conteúdo. A energia e o senso de propósito dele me cativaram, dando início a uma admiração que dura até hoje. E por causa dessa admiração, eu sonhava um dia trabalhar com ele. Estava iniciando minha carreira no mercado editorial, o William nem sabia da minha existência, pois eu era mais uma na plateia. Ou seja, eu não tinha ideia de como isso poderia se concretizar, mas era algo que eu almejava.

Fiquei com esses sonhos dentro de mim e segui trabalhando. Eu já me conectava com a Lei da Atração e passei a aplicar no meu cotidiano alguns ensinamentos do William. Eu visualizava em minha mente como seria o dia em que realizaria meus sonhos, estudava, me dedicava aos meus objetivos, traçava metas e planos.

Então, tive a oportunidade de trabalhar com as obras do William e fui responsável pelo lançamento da primeira edição deste livro. Isso mesmo: meu sonho se tornou uma realidade muito melhor do que imaginei. Muito melhor porque, além de tudo, William também se tornou um grande amigo, companheiro de todas as horas. Por que contei toda essa história? Para mostrar a você, querido leitor, que não existe o impossível em nossas vidas. Acredite: podemos alcançar tudo que desejarmos – e muito mais do que isso, se deixarmos a vida nos surpreender. Claro que deixar a vida nos surpreender não significa ficar sentado, esperando as bênçãos caírem do céu. Por isso, quando o William me convidou para escrever este prefácio, resolvi que era o momento de contar ao mundo essa parte da minha vida – até porque talvez nem ele soubesse disso até hoje. O que quero dizer com isso é que, se você realmente quiser alguma coisa, e usar as ferramentas certas para consegui-lo – por exemplo, os cinco segredos da Quintessência que William Sanches revela nesta obra –, você estará abrindo o caminho para a vida te presentear.

Tenho certeza de que, assim como eu, você irá se encantar com este livro. William Sanches colocou aqui dentro seus conceitos mais transformadores, embasados em muitos anos de pesquisa e de experiência prática em consultório, para ajudar você a cocriar a sua realidade, seja ela qual for. Esqueça tudo que você já leu até hoje sobre esse tema, porque *Quintessência – Lei da Atração Acelerada* reúne o que há de mais sério e mais poderoso sobre essa lei universal, tornando-se uma verdadeira obra de referência na área. Com este verdadeiro tesouro que está em suas mãos, você conseguirá conquistar sua casa nova, seu carro zero, o emprego dos sonhos, o relacionamento desejado – não há limites para os seus desejos.

Basta seguir o que este autor magnífico se dispôs a nos ensinar, sempre com seu jeito alegre de escrever, com suas metáforas esclarecedoras e com a objetividade que o assunto exige.

Desejo a você uma excelente leitura!

Gratidão,
Rackel Accetti

INTRODUÇÃO

"O objetivo da natureza é o progresso e o desenvolvimento da vida, e todo homem deve ter o necessário de modo a contribuir para o poder, a elegância, a beleza e a riqueza da vida. Satisfazer-se com menos do que isso é pecado. (...)"

Wallace D. Wattles, *A ciência de ficar rico*

Que bom que você chegou a este livro!

Uma energia abençoada está se apresentando agora à sua frente.
Na verdade, este é o livro mais poderoso que você vai ler em toda sua
vida.

Eu concentrei aqui tudo o que aprendi sobre a Lei da Atração e que
aplico na minha vida, ou seja, nada do que você vai ler aqui é apenas
teoria. São coisas reais que eu utilizei, e ainda utilizo, para cocriar a
minha realidade. Eu não conseguiria fazer algo diferente disso. Não
conseguiria sentar e escrever algo que não fosse a minha verdade, que
não fosse algo que eu tivesse pesquisado e aplicado em minha vida –
mais do que isso: eu não conseguiria te mostrar um método com o qual
eu não tivesse mudado minha vida. Então, o que você tem em mãos
agora é algo com uma força enorme.

**Eu acredito no ser humano e em sua infinita capacidade. Eu sei
que há muitos futuros possíveis e que podemos cocriar tudo o que
quisermos.**

"Mas por que cocriar?"

Porque, antes de podermos trazer as coisas para nossa vida, Deus, o
Criador, já concebeu tudo. Tudo o que você possa desejar já existe e
está disponível no mundo. Talvez ainda não seja a sua realidade, mas é
por isso que você vai aprender a cocriar uma realidade nova.

"Mas, William, eu já tentei e não consigo fazer a Lei da Atração
funcionar na minha vida."

Olha, eu não estou aqui para te convencer sobre a Lei da Atração. Primeiro porque, na verdade, eu não preciso. Ela é incontestável e já está agindo na nossa vida. Sim, a Lei da Atração está agindo na sua vida mesmo que você não saiba ou não concorde com isso. Segundo, se você escolheu ler este livro, é porque acredita nessa lei tanto quanto eu.

Resta saber se você está mesmo disposto a colocar toda a força da sua vida focada em criar a sua nova realidade. A força move. Não sou eu que estou dizendo isso. É uma lei da Física. A Física nos explica que a força move, empurra, faz os corpos irem adiante e as coisas acontecerem. É essa mesma força que está agindo aqui e agora. A força que você teve para decidir ler este livro é a mesma que vai cocriar a sua realidade.

Você vai aprender muitas coisas neste livro. Vai entender como a Lei da Atração funciona de verdade, vai aprender a transformar a sua vibração e a sua assinatura energética, bem como a limpar os sentimentos que te impedem de cocriar a sua realidade.

Já adianto que um deles é a ansiedade. E ela vai bater. Pode ser que você queira acelerar a leitura e o processo, talvez pular alguns exercícios... Não faça isso! Quando a ansiedade chegar, diga a ela: "Ei, dona ansiedade, sai pra lá! Não quero você comigo agora, não. Eu estou estudando, estou me dedicando e não quero que você atrapalhe a minha vida".

Este livro está estruturado não para ser apenas uma leitura, mas para ser um verdadeiro processo terapêutico. Como eu te disse, tudo o que escrevi neste livro, eu apliquei em minha vida. Sou filho de feirantes e sei o que é estar do lado da escassez, o que é ouvir que só é rico quem nasce rico e pobre fica pobre a vida toda. Eu não sabia nem o que era Lei da Atração quando comecei intuitivamente a praticá-la. Sempre que eu queria alguma coisa, já me imaginava com aquilo em mãos, vivendo aquilo, ou falava bem firme "eu vou trabalhar ali". E adivinha? O sonho se tornava realidade, ou seja, eu me movimentava até criar aquela realidade pra mim.

Passaram-se anos, e confesso que não lembro quando foi a primeira vez que fui apresentado à Lei da Atração. Não lembro o dia, mas lembro que foi lendo algo aqui, algo ali, e aos poucos fui despertando. O processo de despertar foi gradativo, não foi de um dia para o outro.

Comecei a comprar livros sobre o assunto, e quanto mais eu lia sobre, mais informações chegavam até mim. Em 2006 assisti ao filme *O segredo*, que foi um verdadeiro *boom* universal sobre o tema; foi nessa época que mais pessoas passaram a estudar e difundir a Lei da Atração.

No começo, mesmo praticando sem saber o que era, eu não entendia bem e achava que bastava imaginar, sentir, acreditar e pronto, a coisa estava feita! Mas não é bem assim.

Fui um garoto muito pobre, e hoje quem senta em frente a esse computador é um milionário digitando no teclado *tudo* o que aprendeu e que deseja compartilhar com você.

Explico melhor: sou terapeuta e atendi em consultório por anos. Depois de já conhecer a Lei da Atração, considerei que era hora de entender o funcionamento da mente.

Cada pessoa que se tratava comigo mostrava seus bloqueios e eu, ao ajudá-las, percebia que, por mais que elas entendessem toda a engrenagem da Lei da Atração, alguns sentimentos jamais permitiriam que o sonho acontecesse.

E era isso que ocorria com centenas de pessoas. Elas liam sobre Lei da Atração, praticavam o que aprendiam, mas nada acontecia. Então, desacreditavam e passavam a falar mal, dizendo que era bobagem e que não passava de balela. Uma propaganda contrária também se difundiu pelo mundo, e pode ser que você tenha sido in-fluenciado por ela.

Neste livro, eu separei cinco elementos que considero essenciais para que a Lei da Atração não apenas funcione para você, mas que ela aja de forma acelerada – foi assim que nasceu o Método Quintessência, Lei da Atração Acelerada. Ao desbloquear essas cinco comportas, uma avalanche de bênçãos começa a chegar até você, superando qualquer expectativa. O que estava travado será destravado, e o que não era sua realidade começa a vir para suas mãos.

Então, tenha sempre um lápis em mãos, porque muitos downloads vão acontecer. Bom, se você ainda não me conhece bem e não está acostumado comigo, download é como eu chamo os *insights*. Antigamente a gente dizia que "caíram as fichas", mas essa é uma tecnologia muito ultrapassada. Aqui não caem fichas, aqui nós fazemos downloads.

Você vai se surpreender com a quantidade de conhecimento e de downloads que estão chegando para você. De minha parte, estou 100%

empenhado em te mostrar essas cinco essências. Porém, preciso que você também se empenhe, porque de nada adianta fazer pela metade.

Se não for o momento para se dedicar, nem comece. Nem siga para o primeiro capítulo. De verdade, está tudo bem!

Mas se você tiver um desejo ardente por mudança, siga em frente. Página a página, coisas novas serão reveladas, e aquilo que parecer repetitivo ou "batido" será importante para sua mente se reprogramar. Tudo é proposital. Foi um estudo incrível de anos, que já transformou a vida de milhares de pessoas. Nas minhas redes sociais, por exemplo, você verá centenas de depoimentos espontâneos de alunos que aplicaram esse método e transformaram suas histórias. Ou seja, a Lei da Atração não mudou somente a minha vida, mas a vida de outras pessoas que também estavam cansadas da escassez.

Para compreender esse conteúdo da melhor forma, escolha um lugar sossegado para se sentar, ler e dizer para a sua mente: "Agora estou estudando para cocriar a minha nova realidade".

Faça isso, estude!

Reserve esse momento para você e não deixe ninguém te atrapalhar. Pode ser que você queira revisitar algumas vezes tudo o que vai aprender aqui. Está tudo bem. Você pode voltar as páginas sempre que quiser, e sempre vai ser uma experiência diferente.

Daqui a um ano, se reler este livro, vai ter outros downloads, vai prestar atenção em outras coisas completamente diferentes das que vai perceber agora, porque a sua mente está de um jeito hoje, e vai estar de outro jeito depois, mais condizente com a nova realidade que você ainda vai cocriar.

Não se assuste se no meio da leitura, entre alguns capítulos, você se deparar com uma das cinco essências. Elas aparecerão na sua leitura na hora certa. Elas estão ali, prontas para mexer com você. Nada será igual depois disso.

Bons estudos!

Com amor e dedicação,

William Sanches

Capítulo 1

O QUE É A LEI DA *Atração*

"A Lei da Atração está sempre em funcionamento, quer você acredite nela ou não, e quer você compreenda ou não."

Bob Proctor, em *The Secret*

São chamadas assim, de leis, porque funcionam independentemente da nossa vontade ou do nosso conhecimento.

Há a **Lei da Gravidade**, **da Ação e Reação**, **do Livre-Arbítrio**, **do Perdão**, entre outras importantes leis.

A principal coisa a se compreender é que a Lei da Atração é um conjunto de leis. Ela não age isoladamente: existe toda uma engrenagem por trás.

A boa notícia é que é possível compreender e fazer nossa vida fluir como um relógio alinhado, porque as leis compõem a engrenagem.

Por exemplo, neste exato momento, a Lei da Atração está agindo sobre a sua vida, mesmo que você não a entenda ou não acredite nela.

Talvez você já tenha ouvido uma definição errada da Lei da Atração, algo como: *"Se eu desejar, visualizar e acreditar, as coisas virão a mim"*. Não é exatamente assim que funciona.

Seria muito simples DESEJAR, VISUALIZAR E ACREDITAR e pronto!

Eu ficaria na varanda da minha casa o dia todo assim e as coisas começariam a bater na minha porta de minuto a minuto.

Uma coisa essencial é você ter consciência de que a sua mente constrói a sua realidade, então quem é reclamão e faz papel de vítima não é bem--vindo neste livro. Também não é bem-vinda a energia da dúvida, da desconfiança.

Quando você vai a algum lugar com desconfiança, a sua energia vai lá para baixo. Como neste livro vamos trabalhar intensamente com vibração e energia, se você estiver com a energia baixa por causa da dúvida, nem continue a leitura.

Sabe aquela coisa de *"Vou comprar este livro só para ver como é, mas já sei que isso não vai dar em nada e nem acredito na Lei da Atração"*?

Esse tipo de pessoa é aquele que não vai aprender, que não está com o coração aberto para os ensinamentos que vou passar.

O que quero que você entenda é que meu papel aqui não é te convencer sobre a Lei da Atração, mesmo porque ela já está agindo em sua vida, você acreditando ou não.

SE VOCÊ ACREDITAR, A LEI DA ATRAÇÃO ESTÁ FUNCIONANDO. SE VOCÊ NÃO ACREDITAR, ELA ESTÁ FUNCIONANDO DA MESMA MANEIRA!

Desculpa, mas ela não está nem aí se você está acreditando ou não – o importante é que você aprenda o funcionamento dela, o segredo que está por trás do segredo que muitas pessoas não contam.

O QUE VOCÊ PODE ESPERAR
deste livro?

✔ Voltar a ver seus objetivos de forma mais clara;

✔ Acessar seus sonhos mais distantes;

✔ Eliminar velhas crenças e criar verdades novas;

✔ Começar a enxergar quem e o que te bloqueia;

✔ Ser valorizado e elogiado;

✔ Reconhecer oportunidades chegando;

✔ Ver pessoas novas entrando em sua vida que vão elevar o seu nível, te levar para cima;

✔ Acelerar resultados que estavam parados;

✔ Ter ideias rentáveis;

✔ Reconhecer sinais do Universo;

✔ Aprender a gerar sentimentos abundantes;

✔ Conectar-se rapidamente com o dinheiro.

Citei algumas melhorias principais, mas é claro que muitas outras vão surgir para você.

Em um único dia, você pode ser convidado para um almoço, um evento, uma festa, e vai pensar *"Puxa! Fazia tempo que não recebia um convite".*

Coisas incríveis começarão a acontecer porque você mudou sua energia. Vou explicar melhor ao longo do livro, mas o que você precisa saber agora é que **o Universo só dá para quem já tem**!

Por isso, quando você reprogramar sua energia, as coisas virão **naturalmente**.

> "
> Pois a quem tem, mais lhe será confiado, e possuirá em abundância. Mas a quem não tem, até o que tem lhe será tirado.
>
> **Mateus, 25:29**

Por incrível que pareça, durante anos eu pensei que Deus era punitivo, que era injusto porque daria mais para quem já tinha e tiraria mais de quem não tinha. Então, ao longo dos meus estudos sobre Física Quântica, descobri inúmeras coisas que apliquei em minha realidade, e assim conquistei uma vida de abundância com a Lei da Atração.

Saí de uma família que vivia em escassez, mas continuei questionando por que algumas pessoas prosperavam e eram abundantes enquanto outras viviam em estado de privações e dor.

Depois, fui entender que o Universo só dá para quem já tem, e vou te contar mais sobre isso nas próximas páginas.

Deus está do seu lado esperando que você faça, e o Universo só dá para quem já tem. Portanto, diga ao Universo:

"EU SOU Quintessência"

Isso é sinônimo de prosperidade, abundância, vitória e de Lei da Atração Acelerada, de boas oportunidades e pessoas incríveis entrando em sua vida.

"Mas afinal, William, o que é a Lei da Atração?"

De forma bem simples neste início (porque depois vamos aprofundar), a Lei da Atração é um conceito mais moderno entre os pensadores do Novo Pensamento.

A Lei da Atração explica que os pensamentos das pessoas – tanto os conscientes quanto os inconscientes – ditam a realidade de suas vidas, estejam sabendo disso ou não.

Lembra que a Lei da Atração não está nem aí se você acredita nela ou não? É uma Lei Universal! Isso é sinônimo de prosperidade, abundância, vitória e de Lei da Atração Acelerada, de boas oportunidades e pessoas incríveis entrando em sua vida!

E a Lei da Atração Acelerada, o que é?

É o entendimento dessa lei e de tudo que a cerca. É compreender a engrenagem que faz a Lei da Atração funcionar naturalmente como é e como deve ser.

Você acelera o processo porque é capaz de entender se algo está bloqueado; mais do que isso, por compreender o processo, você utiliza corretamente as técnicas e a forma de pensar, vibrar e agir.

Quando você tem uma lei que já existe, como a Lei do Livre-Arbítrio, a Lei da Gravidade, a Lei da Ação e Reação, você é capaz de entender sua engrenagem, isto é, todo seu processo interno de funcionamento, e consegue fazer com que a Lei da Atração funcione de maneira acelerada para você.

Vou dar um exemplo: existe uma caixa d'água cheia para te servir, mas o encanamento está entupido e a água não chega à torneira como precisa chegar, ou seja, existe o recurso (a água), mas ele não chega a você.

Da mesma forma, o Universo é abundante. Porém, se você estiver bloqueado, essa abundância toda não encontrará você.

Isso me lembra uma historinha: um homem que vivia no deserto foi para a cidade e viu uma torneira esguichando água, então ele comprou uma torneira e, quando chegou ao deserto, informou à comunidade que tinha uma excelente notícia para contar a todos.

Ele instalou a torneira em uma parede qualquer da casa e a abriu, mas, obviamente, não saiu água, porque não existia encanamento e tampouco caixa d'água.

Para muitas pessoas, a vida está funcionando exatamente assim. Elas estão com a torneira na mão, mas quando a abrem não sai o fluxo.

Acelerar a Lei da Atração equivale a desentupir esse encanamento ou até construir encanamentos novos, pois os recursos estão todos disponíveis no Universo.

> Durante este livro, vamos falar sobre os **cinco grandes segredos da caixa-preta humana**.
>
> Você não precisará **enganar ninguém**.
> Você não terá de **fazer negócios escusos**.
> Você não terá de **passar a perna em ninguém**.
> Você não precisará **se envolver em corrupção**.

Calma! Esses cinco grandes segredos da caixa-preta humana abrirão o caminho onde antes você patinava como um carro atolado em lama profunda, com a sensação de não ir nem para frente nem para trás.

Vou compartilhar uma experiência antes: quando estive no Egito, estudei o processo de mumificação, e uma curiosidade que desejo te contar é que, quando iam mumificar alguém, os egípcios tiravam suas vísceras e cérebro, guardando unicamente o coração.

Eles o embalsamavam e devolviam ao corpo, pois acreditavam que, na hora do juízo final, aquele coração seria pesado em uma balança com a pluma da verdade, quando as ações daquela pessoa seriam avaliadas para decidir se ela entraria no céu, no paraíso ou na eternidade – chame da maneira que preferir.

Isso mostra que, para eles, o coração era uma espécie de caixa-preta contendo todos os sentimentos vividos ao longo de sua vida, que seriam abertos e pesados e determinariam o seu caminho.

Portanto, neste livro vamos trabalhar fortemente o coração, os sentimentos que estão te impedindo de prosperar, de ter a vida que você quer, de ser tudo aquilo que você veio para ser nesta vida.

O que quero dizer com isso tudo é que esse é um conceito milenar, pois o ser humano sempre buscou e trabalhou esse conhecimento.

Antes de continuarmos, vou te fazer uma pergunta:

O que você quer com este livro?

_____

_____

_____

_____

_____

_____

_____

_____

_____

_____

_____

_____

_____

_____

_____

_____

Se você não sabe o que quer com esta leitura, é exatamente assim que você vai para a vida: sem saber o que está fazendo ou querendo; qualquer coisa que o Universo trouxer para você será bem-vinda, que é a filosofia do *"Deixa a vida me levar"*, *"O que Deus preparar está bom"*, *"Deus está no comando"*. É neste momento que você coloca Deus longe de você, corta totalmente seu livre-arbítrio e sua autorresponsabilidade. Então, antes de continuarmos a falar da caixa--preta humana e da Lei da Atração Acelerada, você deve ter clareza sobre duas coisas: como quer estar e o que de concreto quer que te aconteça até o final deste livro. A vida precisa ter um sentido!

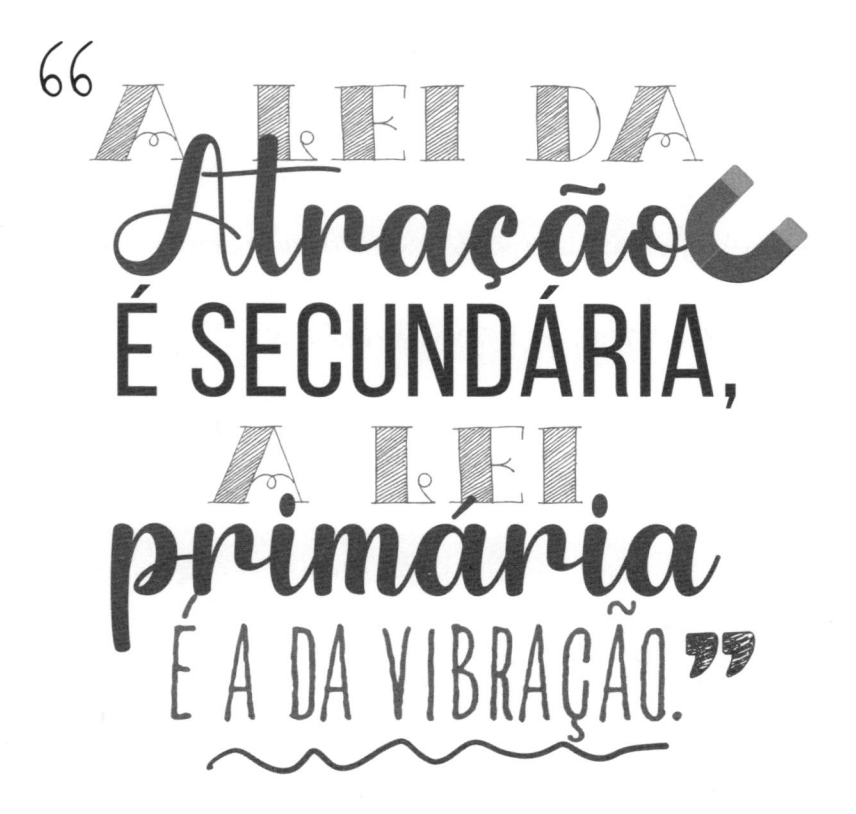

"A LEI DA Atração É SECUNDÁRIA, A LEI primária É A DA VIBRAÇÃO."

E o que está por trás da vibração?

Existe uma sequência extremamente rápida e lógica: os sentimentos gerados pelos pensamentos são magnéticos e têm uma frequência.

Tudo funciona ao mesmo tempo – não é primeiro pensar, depois sentir e aos pouquinhos mudar sua vibração.

Não. Tudo é rápido e está conectado.

O pensamento gera o sentimento, que automaticamente gera a vibração. Por isso a Lei da Atração é secundária, e a lei primária é a da Vibração, que faz com que você se conecte a tudo o que tem na sua vida hoje.

Olhe a sua volta: sua roupa, a casa onde mora, seu meio de transporte, seus amigos, seus relacionamentos, sua família... observe se tudo que está aí é do jeito que você quer.

Tenho a plena certeza de que existe algo que não está do jeito que você gostaria que estivesse.

E tenho que te contar que você pensou, sentiu, vibrou e se conectou a essa realidade.

Até então, isso não era culpa sua, pois você não tinha essa informação, mas, a partir do momento em que você toma consciência, isso passa a ser de sua **responsabilidade.**

Quando abrimos nossa consciência para o conhecimento, assumimos a responsabilidade.

Jesus dizia: *"A verdade vos libertará"*. Isso faz com que você saia das amarras, das correntes que te impedem de alcançar o que quer.

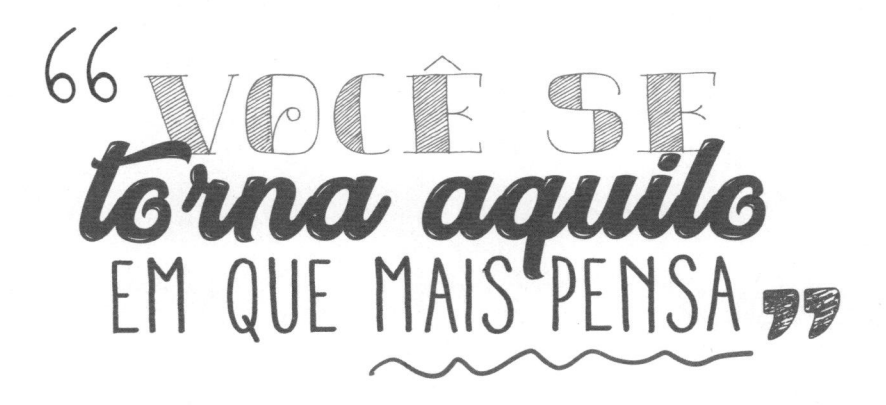

Toda a sua realidade de agora foi você quem criou.

Não foi Deus, não foram seus pais, seus filhos, seu marido.

Chega de desculpas! Você não enriquece no papel de vítima, tá? A sua vibração vai lá para baixo e você permanece no estado de sofrimento.

Isso é Física! Estou te provando como funciona seu pensamento, seu sentimento e sua vibração neste livro.

Antes de aprofundar nosso estudo, quero fazer um checklist com você. Seja totalmente sincero em suas respostas para ter uma visão clara e reveladora de seu possível bloqueio, seja ele qual for.

CHECKLIST DO Bloqueio

Assinale as afirmações com as quais você se identifica:

○ Você tem vontade de desistir.

○ Você acha que não merece.

○ Crê que Deus é responsável por trazer tudo para você.

○ Você conta seus desejos para os outros antes de fazer algo por isso.

○ Quer aprovação antes mesmo de começar alguma coisa.

○ Se sente cansado ou velho demais para recomeçar.

○ Por mais que se esforce, nada acontece.

○ Repete para os outros que a Lei da Atração é bobagem.

○ Não acredita na Lei da Ação e Reação.

○ Tem a sensação de dar um passo pra frente e dois pra trás.

○ Já chegou a pensar que fizeram um trabalho espiritual contra você.

○ Se sente burro e incapaz.

○ Sente que ninguém te ajuda.

○ Até quer mudar de vida, mas está cansado demais para começar qualquer coisa.

Prepare-se: vou revelar o primeiro segredo da caixa-preta humana ainda neste capítulo, para você ter uma ideia de como este livro vai mexer com sua realidade.

Só você sabe da sua vida, só você sabe o esforço que faz para manter a vida bem, só você sabe o que é colocar a cabeça no travesseiro e chorar porque seu filho te pede algo que você não consegue comprar, só você sabe o que é ter um chefe que te humilha, só você sabe o que é ter um namorado que te maltrata, só você sabe o que é ter uma família na qual você se sente invisível dentro de casa, sendo tratado como empregado só para servir. Tenho que te dizer que você é muito mais do que isso. Você merece muito mais do que isso.

Você não quer mais essa vida, você até consegue criar coisas novas, mas não vai para frente. Abre uma loja e não entra ninguém, começa a vender um bolo e ninguém compra, tem vergonha das suas ideias, enfim. Esse bloqueio todo só acontece porque você é um terreno fértil. Não existe o *"fui traída"* – você é *"traível"*; não existe o *"fui enganado"* – você é *"enganável"*. Ou seja, você é terreno fértil para tudo isso.

Chega de viver em sofrimento e escassez, basta de deixar as coisas bloqueadas e a vida do mesmo jeito.

O que vai mudar sua vida não é o calendário, são suas atitudes, seus pensamentos e sua maneira de se comportar diante da sua própria vida.

Isso tudo é muito sério. **É a sua vida!**

Quando olhamos a vida em abundância espiritual e material, nossos relacionamentos e nossa carreira, nossas paixões, realizações, nossos medos e carências, estamos olhando diretamente para o espelho das nossas crenças mais profundas e, muitas vezes, inconscientes.

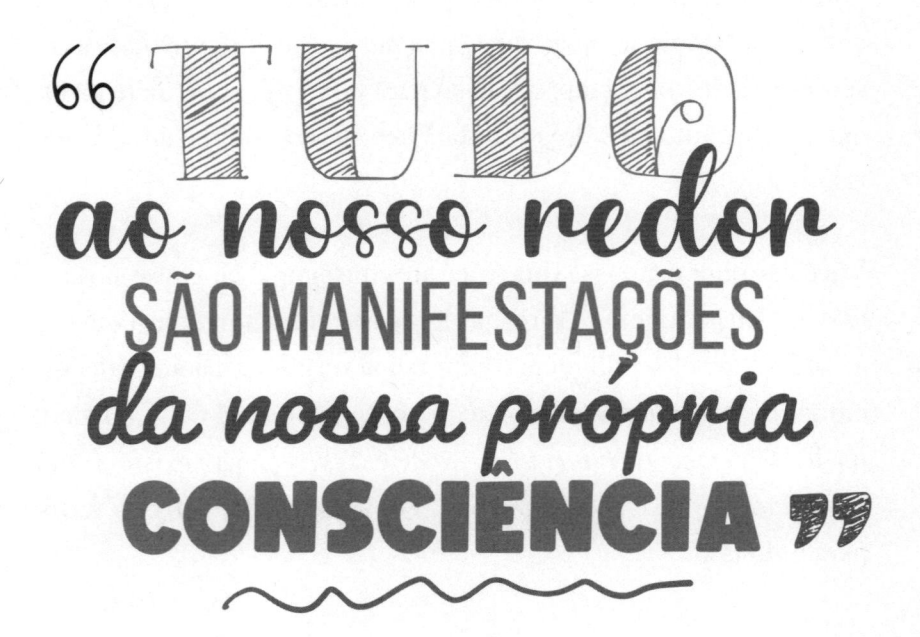

"TUDO ao nosso redor SÃO MANIFESTAÇÕES da nossa própria CONSCIÊNCIA"

Pense em um pintor: tradicionalmente, o artista é separado de sua obra, de sua realização. É uma criação interior que a tela traz como expressão externamente. Quando tomamos consciência da nossa existência num todo, desaparece a separação entre o artista e a obra; nós somos tela, pintura, pincéis e também o artista!

Nós não somos seres humanos com experiências espirituais, somos seres espirituais vivendo uma experiência humana.

Você já ouviu isso? E a maior descoberta do ser humano é tomar consciência de que o pensamento se torna realidade.

Nós somos os criadores da nossa realidade.

> **"**
> Quando nos compreendermos a nós mesmos, a nossa consciência, compreenderemos igualmente o Universo, e a separação desaparecerá.
>
> **Amit Goswani – físico e ativista quântico**

Até hoje, você pode ter vivido separado, imaginando Deus em um trono, já que nos ensinaram isso na infância.

Mas isso vem caindo por terra, pois as pessoas estão tomando a consciência de que Deus está em nós.

Agora que você já aprendeu que os sentimentos nos distanciam, nos colocam um passo atrás da realidade que queremos viver, vou revelar o primeiro segredo da caixa-preta humana: a rejeição!

"Mas, William, eu não tenho esse sentimento, nunca fui rejeitado, o que isso tem a ver com a Lei da Atração?"

"PENSAMENTO de rejeição GERA SENTIMENTO de rejeição QUE VIBRA REJEIÇÃO"

Essa é uma vibração muito baixa energeticamente, que coloca você nesse estado de dor, insegurança, medo, vergonha, ódio e/ou raiva.

Ela pode ter surgido em qualquer momento da sua vida e ficou instalada em você até agora, te impedindo de merecer as coisas boas porque quem sofre de rejeição atrai uma avalanche de sentimentos negativos junto com ela.

Vamos estudar isso mais para frente, com mais profundidade, e você vai ver que, no caminho, juntando todas as peças, as coisas farão sentido para você, como fez para mim e mudou minha vida.

POR ENQUANTO, GUARDE MAIS ESSA INFORMAÇÃO: TODO SENTIMENTO TEM FOME DELE MESMO.

Você consegue se recordar dos tempos de escola, quando, nas aulas de educação física, o professor pedia que se formassem dois times e o capitão de cada um começava a escolher os componentes e você ia ficando para trás até ser um dos últimos, ou mesmo o último, a ser escolhido?

Você experenciou a rejeição nesse momento, e esse sentimento ficou impregnado em sua caixa-preta.

Uso essa expressão porque nossa mente é realmente como a caixa-preta do avião – poderosa, resistente, que guarda tudo no subconsciente.

Ainda nos tempos de escola, quando você enviou uma cartinha para aquela pessoa pela qual sentia paixão, mas não foi correspondido, você se sentiu rejeitado.

Quando seu pai não te deu atenção, quando sua mãe gostava mais do seu irmão, você sentiu rejeição.

Quando a professora elogiava sempre o mesmo aluno e nem olhava para você, você se sentiu rejeitado.

Quando seu colega de trabalho foi promovido e você não, você viveu a rejeição.

Esses são apenas alguns exemplos de rejeição que sofremos ao longo da vida. E nenhuma prosperidade consegue fluir se você está impregnado de rejeição.

> Se você se olha no espelho e coloca qualquer defeito ou age no medo de perder alguma coisa, está se **rejeitando diariamente**.

Assim, automaticamente rejeita tudo de bom que o Universo estava trazendo para você.

Talvez você até esteja rejeitando minhas palavras, visto que está acostumado a fazer isso.

Nos dias de hoje, simplesmente bloqueamos as pessoas das nossas redes sociais, apagamos os contatos, rejeitamos aquilo que não estava nos fazendo bem – então por que não rejeitar essa dor que não te deixa avançar e cocriar uma realidade próspera e abundante?

Vamos cuidar disso!

Você vai encontrar, na continuidade da sua leitura, o momento certo, em que estudaremos mais a rejeição, para que você veja o quanto isso é importante no seu processo de criação de uma nova realidade.

Se tiver que rejeitar alguma coisa, que seja esse padrão de conformidade em que você vem vivendo.

Quando você vibra na confiança, no amor, na alegria, na segurança, na saúde, você está com uma vibração de alta frequência e entra no estado de prosperidade.

O Universo é um imenso catálogo, porém, você precisa conhecer o funcionamento do sistema de entrega para receber as coisas boas.

Sabe aquele famoso aplicativo de comida?

Você se conecta a ele, escolhe o restaurante, seleciona o prato desejado, informa o endereço e paga pelo pedido, e então o entregador traz exatamente o que você pediu.

Sem perceber, você fez aqui um processo.

Um outro aplicativo famoso de transporte faz assim: você se conecta, diz onde está e para onde quer ir. Em instantes, o motorista estaciona, te pega e te leva para o local desejado.

Certo? Isso também é um processo.

Entenda que neste livro você está estudando um processo de leis que formam a engrenagem criadora da sua realidade.

Se você não entender, não tem como mudar. Vamos começar assim: quem estuda a Lei da Atração de forma profunda já sabe que ela é uma lei secundária.

A lei primária que a antecede é a da Vibração. Agora, deixa eu te contar uma história.

A Tábua de Esmeralda

O primeiro vestígio documentado a respeito da Tábua de Esmeralda pode ser encontrado em uma carta de Aristóteles para Alexandre, o Grande, durante sua campanha na Pérsia, e que parte da versão em latim da grande obra *Secretum Secretorum* ("O segredo dos segredos", em tradução livre).

Esse livro fala das ciências que regem o Universo, desde a astrologia, as propriedades mágicas e medicinais das plantas e minerais, a numerologia e, acima de tudo, o segredo sobre uma ciência unificada.

Foi um dos livros mais lidos da Idade Média por conter os maiores e mais poderosos segredos sobre o Universo, comprovados hoje pela comunidade científica e pela física quântica.

É também um guia de muitos outros ensinamentos revelados em séculos mais recentes, que defendem a existência das leis universais, como a Lei da Atração e a Lei da Vibração.

A Tábua de Esmeralda é de autoria do ícone helenístico Hermes Trismegisto, que deu origem à alquimia. É possível que esse texto tenha sido determinante para revelar os segredos da substância primordial. Ou seja, tudo aquilo que é onipresente e que forma o Universo em toda a sua potencialidade.

Acredita-se que a Tábua de Esmeralda tenha sido escrita 3.500 anos antes de Cristo passar pela Terra – pelo menos é o que afirma Madame Helena Petrovna Blavatsky, escritora russa responsável por uma tradução incrível, que apresento a seguir:

O que está embaixo é como aquilo que está acima, e o que está acima é semelhante àquilo que está embaixo, para contemplar as maravilhas de uma coisa.

Como todas as coisas foram criadas pela mediação de um ser, assim também todas as coisas foram produzidas a partir deste ser por adaptação.

O seu pai é o sol, sua mãe é a lua.

Ele é a causa de toda perfeição por todo e qualquer lugar da Terra.

O seu poder é perfeito se ele for transformado em Terra. Separe a terra do fogo, o sutil do grosseiro, agindo prudentemente e com juízo.

Ascende com a maior sagacidade desde a Terra até o céu e une o poder de todas as coisas inferiores e superiores. Assim você possuirá a luz do mundo inteiro e toda obscuridade voará para longe de ti.

Esta coisa tem mais força que a própria força, porque ela domina todas as coisas sutis e permeia todas as coisas sólidas.

Através dela, o mundo foi criado.

Primeiros registros

Desde 1902, podem ser encontradas referências a algo similar à Lei da Atração, sobretudo discussões sobre a formação da matéria.

John Ambrose Fleming, engenheiro elétrico e físico na virada do século XX, a descreveu como *"uma irresistível energia de atração que faz com que os objetos aumentem em poder e definição de objetivo, até que o processo de crescimento seja completo e a forma madura surja como fato realizado"*.

Desde muito antes disso, gênios como Leonardo da Vinci, William Shakespeare, Sigmund Freud e tantos outros grandes pensadores tinham um conhecimento até então chamado apenas de "o segredo", ou "um mistério que nos liga a todas as coisas".

66 ESSE MISTÉRIO não é nada menos que A LEI DA ATRAÇÃO 99

No entanto, ela foi mais amplamente difundida e se tornou conhecida da grande massa quando Rhonda Byrne, escritora e produtora de cinema australiana, ficou famosa em todo o mundo graças ao seu best--seller *O segredo*, que também deu origem ao filme homônimo.

Enquanto lia um livro que ganhara da filha, Rhonda teve vários downloads e começou a se perguntar: *"Meu Deus, como é que esse mistério que nos liga a tantas outras coisas ainda não está nas mãos das pessoas?"*.

Foi assim que ela começou a pesquisar e percebeu que Shakespeare, Victor Hugo, Leonardo da Vinci, Einstein e outros pensadores acreditavam na Lei da Atração e já falavam sobre ela – seja de maneira clara ou nas entrelinhas.

Depois, ela passou a procurar pessoas da atualidade, filósofos, pesquisadores, treinadores mentais, psicólogos que acreditavam na Lei da Atração e a aplicavam.

Quando iniciou a gravação de seu documentário, Rhonda coletou mais de 120 horas só de depoimentos de pessoas que acreditavam nessa lei.

Cada uma delas foi compartilhando como tinha descoberto a Lei da Atração e como a praticava.

Entre essas pessoas, estava Bob Proctor, professor que defende o seguinte: *"O que você vê em sua mente é o que vai ter em mãos"*.

Mas o que é, afinal, a Lei da Atração?

Eu te trouxe até aqui e precisei te contar essa história para você ver que não é modinha ou algo que surgiu agora. Estamos estudando algo sério.

> **LEI DA ATRAÇÃO** é uma lei que diz que os pensamentos das pessoas, tanto conscientes quanto inconscientes, ditam a realidade de suas vidas, mesmo que elas não saibam disso.

Mas calma! Lembra que eu falei que temos uma engrenagem para estudar?

Além disso, as cinco essências que vou revelar podem estar bloqueando todo esse processo.

Vou explicando no caminho, vem comigo!

Que download você fez deste capítulo?

_____

_____

_____

_____

_____

_____

_____

_____

_____

_____

_____

_____

_____

_____

_____

_____

Capítulo 2

ENTENDENDO DE VEZ O pensamento

"Como a Lei da Atração responde aos pensamentos, e você pensa o tempo todo, é correto dizer que você está permanentemente criando a sua própria realidade."

Esther e Jerry Hicks, *A Lei Universal da Atração*

> **"**
>
> Todas as coisas que nós, seres humanos, criamos neste planeta foram essencialmente criadas primeiro em nossas mentes, tudo que você vê e quer é trabalho humano, que primeiro achou expressão na mente, depois se manifestou no mundo exterior.
>
> As coisas maravilhosas que nós temos feito neste planeta e as coisas horríveis que nós temos feito neste planeta, ambas vieram da mente humana; portanto, se estamos preocupados com o que criamos neste mundo, é extremamente importante, em primeiro lugar, aprender a criar as coisas certas em nossa mente.
>
> Se não temos o poder de manter as nossas mentes da maneira que queremos, o que nós criamos no mundo também vai ser muito acidental e desorganizado.
>
> **Fala de Jaggi Vasudev**

Essa reflexão de Jaggi Vasudev, conhecido como Sadhguru, tem um significado importante para mim, e agora que você está estudando a Lei da Atração, também poderá lhe fazer sentido. Jaggi Vasudev é um iogue, místico e escritor indiano que criou a Fundação Isha, uma organização sem fins lucrativos que oferece programas de yoga ao redor do mundo. Simpatizo muito com algumas de suas ideias e costumeiramente assisto pela internet suas transmissões.

Gosto quando ele conta a história de um homem que saiu para uma longa caminhada e, acidentalmente, entrou no Paraíso. Ele foi apenas caminhar e acabou no Paraíso!

Ele se sentiu um pouco cansado, então pensou: *"Eu gostaria de poder descansar em algum lugar"*. Olhou ao redor e ali havia uma bela árvore, debaixo da qual existia uma grama muito fofa, convidativa. Ele deitou sua cabeça ali e adormeceu. Passadas algumas horas, ele acordou e pensou:

"Estou bem descansado, mas estou sentindo fome; eu gostaria de ter algo para comer". O homem pensou em todas as coisas boas que sempre quis comer em sua vida e instantaneamente todas elas apareceram na sua frente.

Você precisa entender que no Paraíso o serviço é assim. E pessoas famintas não fazem perguntas. A comida simplesmente veio, ele comeu e seu estômago ficou cheio. Em seguida, ele pensou: *"Meu estômago está cheio, eu gostaria de ter alguma coisa para beber"*, e adivinhe? Ele mentalizou todas as coisas boas que sempre quis ter para beber e imediatamente todas elas apareceram na sua frente.

Pessoas que bebem também não fazem perguntas, então ele bebeu e em seguida, com um pouco de álcool em seu sangue...

Aqui vou abrir parênteses: Charles Darwin disse que todos éramos macacos, mas as caudas caíram e nos tornamos humanos – sim, definitivamente a cauda caiu, mas, no yoga, um macaco representa uma mente não estabelecida, confusa. E quais são as qualidades de um macaco?

O macaco faz movimentos desnecessários. Outra coisa: se eu disser que você está macaqueando alguém, quer dizer que você está imitando essa pessoa.

Ou seja, macaco e imitação se tornaram sinônimos; assim, essas duas qualidades essenciais de um macaco são em grande parte as qualidades de uma mente não estabelecida, sem foco.

Mas os movimentos desnecessários não precisam ser aprendidos de um macaco: você pode ensinar isso para ele. E a imitação é um trabalho constante da mente. Portanto, quando essas duas qualidades estão ativas, a mente é referida como um macaco. **Fecha parênteses.**

Muito bem, então esse macaco se tornou ativo dentro do homem que acabou no Paraíso, e ele olhou ao redor pensando: *"O que diabos está acontecendo aqui? Eu pedi por comida, a comida veio, eu pedi por bebida e a bebida veio, devem existir fantasmas por aqui".*

Então os fantasmas vieram!

"Os fantasmas vieram, eles vão me cercar e me torturar", ele pensou, e imediatamente foi isso que aconteceu!

Ele começou a gritar de dor: *"Eles vão me matar"* – e assim ele morreu.

Esse homem era um cara de sorte. O problema é que ele estava sentado debaixo da árvore dos desejos.

Ele pediu por comida, a comida veio; pediu por bebida, a bebida veio; pediu por fantasmas e os fantasmas vieram; pediu por tortura, e a tortura veio; ele pediu pela morte e a morte aconteceu.

SE VOCÊ ORGANIZAR SUA MENTE EM UMA CERTA DIREÇÃO, ELA, POR SUA VEZ, ORGANIZA O SISTEMA TODO: SEU CORPO, SUAS EMOÇÕES, SUAS ENERGIAS – TUDO SE ORGANIZA NESSA MESMA DIREÇÃO.

Você deve ter ouvido falar de pessoas que pedem por algo e, para além de todas as expectativas, isso se torna real para elas. Geralmente isso acontece com quem tem fé. Agora vamos supor que você queira construir uma casa, mas começa a pensar: *"Ah, eu quero construir uma casa. Para isso, eu preciso de 5 milhões, mas tenho apenas 50 mil. Não é possível, não é possível, não é possível."*

No momento em que você diz que não é possível, também está dizendo *"Eu não quero isso"*, portanto, em um certo nível, está criando um desejo de que você quer algo, mas no outro nível está dizendo *"Eu não quero isso"*, e esse conflito impede a realização do seu desejo.

Quando começamos a construção de uma vida nova, que é o que você está fazendo agora, isso atrai uma realidade diferente, mas muitas pessoas querem uma pílula mágica para tomar e resolver a vida instantaneamente, inclusive questões que já duram vinte, trinta, quarenta anos.

Ter as informações disponíveis neste livro é como estar sentado embaixo de uma árvore dos desejos, como na história contada pelo guru. Mas a coisa não acontece assim de uma hora para outra.

O que acabei de compartilhar é um conto, uma ilustração.

Quando você toma consciência de um padrão que funciona há anos da mesma maneira e traz os mesmos resultados, você começa a transformar, modificar, criar uma história nova (e quando tomamos consciência de algo mas não fazemos nada a respeito, estamos sendo omissos com nossa própria vida).

E é nesse momento de criação de uma nova realidade que você agarra a sua responsabilidade, a sua vida, e então Deus fica extremamente feliz, porque Deus está em nós, está em tudo. Ele não está nas igrejas, em palácios de pedra ou casas espíritas – lá estão as pessoas orando, se comunicando com ele.

“DEUS não faz por nós, ELE FAZ ATRAVÉS DE NÓS”

Quando você não sabe o que está fazendo, as rédeas da sua vida ficam soltas e qualquer coisa vem para perto: uma amizade que se encosta em você, um emprego que te deixa infeliz, um relacionamento conflituoso, um marido que faz somente reforço negativo ao seu lado, um chefe que não te valoriza, e assim por diante. Dessa forma, você passa a ter apenas resultados negativos, e sua vida vai se transformando numa bola de neve de coisas nocivas.

> **66 Será que existe UM MISTÉRIO QUE TE LIGA a todas as coisas? 99**

Entenda que a vida é um eco: se você não gosta do que está vindo, repare no que está emitindo. Os resultados conquistados dependem do que você emite.

A prosperidade, por exemplo, é um método de vida, é como você pensa, como você se comporta e até o que você veste, então te pergunto: que roupa você usa quando vai realizar o seu sonho? Qual energia você carrega quando vai assinar aquele contrato de trabalho abençoado? E quando vai pegar a chave do seu apartamento ou entrar no seu carro zero pela primeira vez? Qual é a sua roupa energética da vitória? O que você sente ao realizar o seu sonho? Qual roupa você tem usado no seu dia a dia? É a melhor e a mais bonita, ou é aquela que tanto faz e que já nem te serve direito? Como você está se comportando na vida? Perceba que quando digo "roupa", ou "roupa energética", me refiro ao seu comportamento.

Alguma vez você já viu ou ouviu falar de pessoas extremamente ricas que perderam tudo? Ou de pessoas com muita facilidade para ganhar dinheiro, mas que sempre perdem o que ganham porque acontece alguma coisa, um imprevisto ou algo assim?

Por que isso ocorre?

A explicação é simples: dentro da mente delas, no momento em que estão ricas e bem-sucedidas, entra o medo. E, junto com ele, vêm os pensamentos de escassez, vem a frequência do desprezo... depois de um tempo, elas cocriam tudo isso!

"Ora, mas por que então elas deixam esses pensamentos invadirem a mente delas?"

Elas não deixam. Elas simplesmente não sabem como evitar. Veja: o nosso pensamento é dividido em consciente e subconsciente.

> **"**
>
> O que a **Lei da Atração** diz é que os pensamentos das pessoas, tanto os conscientes quanto os inconscientes, ditam a realidade da vida delas. Isso você já aprendeu!

Mas o que é consciente e subconsciente?

O consciente representa só **5% da nossa mente**.

Dessa pequena ponta, fazem parte as memórias de curto prazo, as informações absorvidas racionalmente, tudo aquilo em que estou prestando atenção agora.

Mas, se o consciente é apenas 5%, onde estão os outros 95%? No subconsciente. É lá que moram nossas crenças e verdades absolutas. Tudo que fomos absorvendo ao longo da vida de forma não racional, por meio das nossas experiências, do que ouvimos, da forma como fomos criados. Esse conjunto de informações armazenadas no nosso subconsciente forma os nossos paradigmas. E são esses paradigmas que comandam a nossa vida.

Imagine um cabo de guerra entre consciente (5%) e subconsciente (95%).

Quem você acha que vai levar a melhor? Se você não estiver atento, é claro que é o subconsciente.

Imagine um lago: o que está fora é o que podemos ver (consciente), o que está submerso é o que não enxergamos de primeira (subconsciente).

Mas não é porque está submerso que ninguém tem acesso. Temos, sim. Podemos usar recursos para chegar lá. E é isso que vamos fazer.

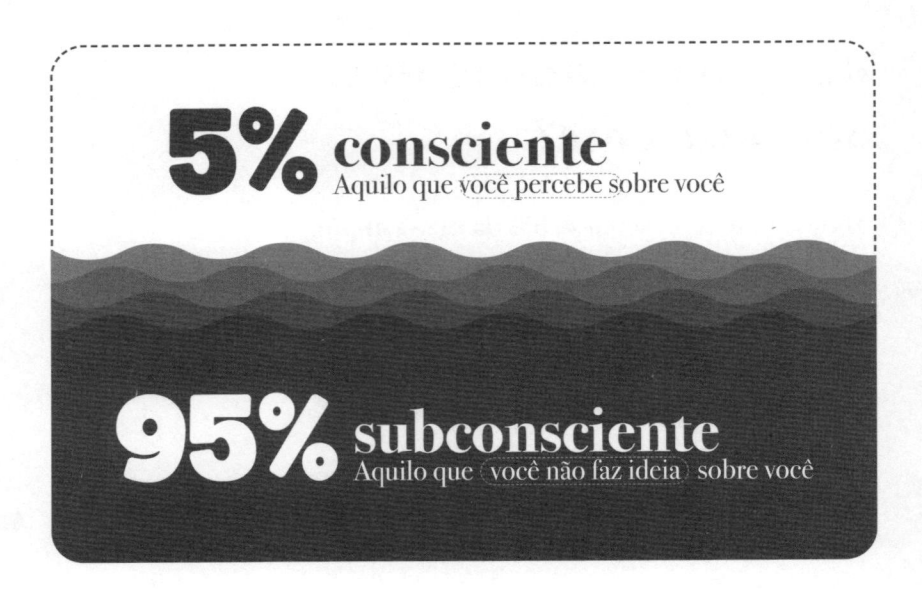

5% consciente
Aquilo que você percebe sobre você

95% subconsciente
Aquilo que você não faz ideia sobre você

Somos animais racionais. Somos os únicos animais do mundo que refletem sobre o próprio pensamento. Eu não sei se o gato fica refletindo sobre o pensamento dele, se o cachorro fica se questionando. Mas nós, sim. E isso é uma dádiva.

Porque é justamente nossa capacidade de refletir sobre o nosso pensamento que vai nos permitir usar a nossa racionalidade para corrigir a rota, mudar o que pensamos e, com isso, mudar o nosso sentimento, a nossa vibração, a nossa assinatura energética. Não se preocupe, você vai entender tudo mais a fundo na hora certa.

Por ora, é importante apenas que você entenda que o inconsciente faz parte de você e está ditando suas ações.

Dentro do seu inconsciente, moram o medo, a ansiedade, a depressão, o julgamento, a crítica, o medo do que os outros vão falar, tudo que seus pais te falaram, tudo que você aprendeu com a sociedade. Tudo que está aí dentro de você, dentro desse inconsciente, é o conjunto de paradigmas que está comandando a sua vida.

Hoje, quando entro no meu carro e pego no volante, eu sei que aquele é o meu carro porque eu cocriei essa realidade. Se é um carro ruim, fui eu que criei.

> **"**
>
> Isso tudo significa que você não convenceu o subconsciente de que sempre teve muito.
>
> **Dr. Joseph Murphy, *O poder do subconsciente***

Se é um carrão, fui eu que criei também. Meu carro me veste porque, antes, a minha energia vestiu aquele carro. Esse é um download importante pra você lembrar sempre.

Estou dando o exemplo do carro, mas poderia ser qualquer coisa em sua vida: seu apartamento, sua biblioteca, a viagem dos seus sonhos, tudo, absolutamente tudo, é criado por esse conjunto de paradigmas que você tem no seu subconsciente.

Não importa o que você construiu até aqui, se era ou não o que você queria. O meu interesse é no que você vai construir daqui para frente. Para isso, precisamos falar de clareza, sonhos, objetivos e metas. Quanto mais clareza tiver, mais fácil será levar isso para o seu consciente. Porque, se por um lado a fraqueza da mente está no subconsciente, nas crenças, nos sentimentos enraizados aí dentro de você, por outro, o poder da mente está no consciente. É no consciente que você evoca o seu potencial para construir coisas grandiosas, obras significativas para sua própria vida.

A sua missão, a partir de agora, é treinar a sua mente para se conectar a uma realidade de abundância e prosperidade.

O pensamento tem poder magnético, e isso precisa ser compreendido antes de darmos os próximos passos.

A Lei da Atração e seu poder magnético se estendem pelo Universo. Imagine que tudo no Universo é vibração, e que, quando você pensa, também vibra! Da maneira como pensa e vibra se conecta a exatamente tudo.

Em outras palavras, **você é um ímã.** Como a Lei da Atração está o tempo todo respondendo a sua vibração, é fundamental prestar atenção aos seus pensamentos, porque eles são responsáveis por acionar suas emoções e sentimentos, produzindo a vibração. Se as emoções são positivas, assim serão suas vibrações. Se são negativas, também serão as suas vibrações. **O problema é que, nessa última opção, você cria uma realidade que não quer.**

> **"**
> Se você quer descobrir os segredos do Universo, pense em termos de energia, frequência e vibração.
>
> **Nikola Tesla**

É exatamente isso que ocorre todos os dias com milhares de pessoas. Como a Lei da Atração é muito obediente, ela te traz tudo. Não instantaneamente, mas ela dá início a uma construção de realidade no momento em que é acionada.

Muitas pessoas criam uma realidade que não querem. Elas dizem o tempo todo *"Não vou ficar doente"* e sempre estão doentes!

Lembre-se: a Lei da Atração não escuta o que você fala, e sim o que você vibra e emite como consequência.

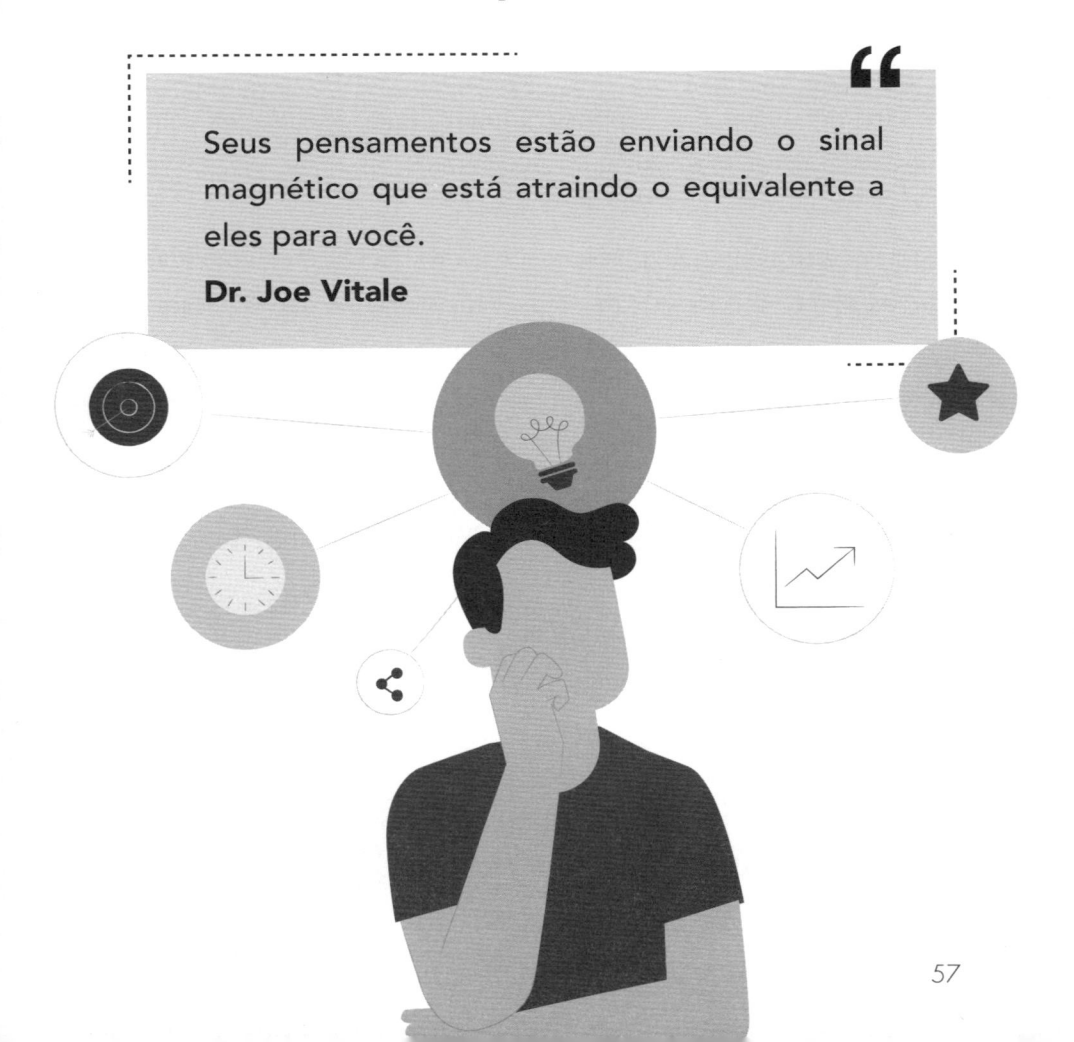

> **Seus pensamentos estão enviando o sinal magnético que está atraindo o equivalente a eles para você.**
>
> **Dr. Joe Vitale**

Você pode estar se perguntando: *"E o que isso tem a ver com minha mente?"*

E eu te respondo: tudo.

Se sua mente consciente diz que deseja algo, mas inconscientemente você não se sente uma pessoa merecedora, por exemplo, isso não chega a você!

É como se um muro fosse construído para as coisas boas, então só as ruins, as que você acha que não cria, conseguem se aproximar.

Repito: vamos estudar isso mais a fundo. Pode seguir com calma que as coisas vão se encaixando aos poucos.

Esteja atento a isto: não nos serve de nada solicitar com humildade que as metas em nossa vida sejam cumpridas se não fizermos a nossa parte. Sempre será melhor e necessário manter uma atitude positiva desde cedo.

Porém, o risco está nas pessoas acharem que a Lei da Atração se baseia no campo das energias e que somente isso resolve tudo.

Desse modo, acabam focando na ideia essencial de que, para conseguirmos algo, precisamos pedir, isto é, apenas pensar. E não é só isso!

Se uma casa estiver pegando fogo e você não ligar para o bombeiro, o fogo só aumentará, certo? O que está embutido nisso?

As soluções em nossa vida não acontecem somente com pensamento, desejo e esperança. São parte do processo, mas são um único passo.

Portanto, devemos aceitar a Lei da Atração como um primeiro estímulo diante de uma mudança de atitude.

No entanto, é preciso pensar e entender o que devemos mudar, e temos que nos esforçar para conseguir!

Que download você fez deste capítulo?

Capítulo 3

O SEGREDO
está na cabeça

"A mente é tudo. Você se torna
aquilo que você pensa.".

Buda

Diz uma história antiga que um grande capitão, em uma situação difícil de guerra, estava com poucos soldados frente ao exército que precisava enfrentar. Então, ele teve que tomar uma decisão bem difícil: navegou até o território inimigo e, assim que seus soldados desceram dos barcos, ele deu ordem para queimarem todas as embarcações.

"Estão vendo esses barcos queimando? Significa que não podem sair destas praias a menos que vençam a batalha!"

O que você acha que aconteceu? Sim, eles venceram a batalha! Napoleon Hill chama isso de desejo ardente. É preciso carregar em si um desejo ardente de vencer em todas as situações.

Se você vai para um emprego novo, mas por dentro diz *"Ah, se não der certo, volto para o antigo"*, você abriu uma porta no corredor do fracasso. A qualquer momento você pode entrar nela. Se você começa um projeto e diz *"Se não der certo, eu fecho as portas e tudo bem!"*, você abriu mais uma porta no corredor do fracasso. Se você deseja terminar um casamento infeliz, tóxico, problemático, e no fundo diz *"Se não der certo sem ele, eu volto"*, então você não tem certeza do que quer e é mais uma porta aberta no corredor do fracasso. Se você muda de cidade, mas por dentro diz *"Se não der certo lá, eu volto para trás"*, já está dizendo que NÃO VAI DAR CERTO!

Você não colocou toda sua força naquilo que precisa ser feito. Percebe que, em todas essas situações, não existe um desejo ardente de fazer dar certo?

É bem diferente ir para a nova cidade com toda a força para FAZER

DAR CERTO! Esse é o desejo ardente da coisa toda!

Se começar a estudar Lei da Atração dizendo – e pior, sentindo – *"Ah, acho que não vai dar certo para mim"*, você já estará acionando essa engrenagem.

> **"**
>
> Escolha uma ideia. Faça dessa ideia a sua vida. Pense nela, sonhe com ela, viva pensando nela. Deixe cérebro, músculos, nervos, todas as partes do seu corpo serem preenchidas com essa ideia. Esse é o caminho para o sucesso."
>
> **Swami Vivekananda**

Voltando a falar da mente

De vez em quando, vou explicar uma coisa ou outra sobre a nossa mente, porque considero importante que você, que está estudando a Lei da Atração, compreenda o funcionamento de todo o seu sistema. Isso vai te ajudar a compreender vários tópicos, permitindo usar seus pensamentos sempre da melhor forma.

Vamos falar sobre a rede eletroquímica que chamamos de pensamento. Sabemos que os neurônios se comunicam utilizando íons de potássio, sódio e canais de cálcio.

Toda informação absorvida – palavra falada, abraço dado, grito de medo, sentar-se na cadeira – vem de uma série de trocas neuronais desses três tipos de íons.

Sendo trocas iônicas, podemos supor que elas estejam sujeitas às leis da Física, sem esoterismos.

A mecânica quântica responde à forma como esses íons se comportam em escala atômica. Energia! Lembra que pensamento gera sentimento, que gera vibração?

Quando entramos num estado de felicidade, tristeza, medo ou gratidão, os neurônios trocam íons entre si, e estes, automaticamente, atuam usando as leis do universo físico. O cérebro retém apenas 5% da informação que recebe por todos os meios sensoriais, enquanto os 95% restantes são enviados ao subconsciente, ficando abaixo do limiar de detecção consciente das ações externas, tal como expliquei anteriormente, lembra?

No subconsciente, estão atuando as nossas respostas automáticas, memórias de longo prazo e impulsos primitivos.

Em termos biológicos, a cada geração são selecionados os mais aptos a sobreviver. Isso significa que os seres humanos que chegaram vivos até hoje são filhos de indivíduos que, quando foram expostos aos predadores, às revoltas da natureza e de seus próprios companheiros nas lutas tribais, souberam deixar aqueles 95% de informação serem usados pelo inconsciente, ouvindo seus instintos, reagindo com rapidez e sobrevivendo para passar essas características a seus descendentes.

Ímã é seu estado dominante

Você é um ímã humano e atrai aquilo que seus pensamentos dominantes vibram.

Veja: se temos a mente consciente e subconsciente, então atraímos tudo que está armazenado nela, seja positivo ou negativo. O estado dominante da mente é o que chamo de aquilo em que coloco foco.

Se penso negativo, meu foco é esse, e mais disso vem pra mim. Se eu penso positivo e coloco foco, mais disso vem para mim. Porém, a questão não está só no pensar, mas no sentir também.

> PENSAMENTO >> SENTIMENTO >> VIBRAÇÃO

Essa sequência está interligada e o tempo todo está gerando uma energia à sua volta, que mais tarde vamos estudar.

Chamo isso de **assinatura energética.**

Por enquanto, assinale a seguir quais emoções você considera como geradoras de vibrações positivas.

( ) ALEGRIA	( ) CONFORTO	( ) RAIVA
( ) SOLIDÃO	( ) CONFIANÇA	( ) MÁGOA
( ) AMOR	( ) AFEIÇÃO	( ) MEDO
( ) ENTUSIASMO	( ) DESAPONTAMENTO	( ) SAUDADE
( ) FALTA	( ) TRISTEZA	( ) FÉ
( ) ABUNDÂNCIA	( ) CONFUSÃO	
( ) ORGULHO	( ) ESTRESSE	

Para você que foi capaz de assinalar exatamente as situações que geram uma vibração positiva, ou seja: **alegria, amor, entusiasmo, abundância, orgulho, conforto, confiança, afeição, saudade e fé.**

Perceba que intuitivamente você sabe quais sentimentos precisa cultivar dentro de si. Ao colocar foco nessas emoções, você gera um estado dominante.

Claro que há muitos outros sentimentos positivos – eu só coloquei alguns aqui para fazer um teste.

Quintessência – Lei da Atração Acelerada

O Universo te dá mais do mesmo.

> **"**
>
> O homem que não tem imaginação não tem asas.
> **Muhammad Ali**

O Universo te dá exatamente mais do mesmo. É a única linguagem que ele entende e retribui.

Meu objetivo com este livro é que você compreenda e perceba que a Lei da Atração está te regendo, então é agora ou nunca, como dizem.

Se você cultivar sentimentos de medo, angústia, escassez, mais situações vão acontecer para que isso venha até você. A Lei da Atração está funcionando e se conectando a tudo o que você vibra. Preste atenção novamente!

" A lei da Atração é UMA LEI SECUNDÁRIA dentro de todo o processo; A LEI PRIMÁRIA É A DA VIBRAÇÃO "

Acontece que a lei mais famosa é a da Atração, mas ela se conecta à forma como você vibra.

Por isso, cultivar a vibração positiva é primordial. Aliada a seu pensamento dominante, ela se encarregará de trazer e te conectar com o melhor.

BALANÇA POSITIVA VS BALANÇA NEGATIVA

ALEGRIA	SOLIDÃO
AMOR	BRIGAS
ENTUSIASMO	CONFUSÃO
ABUNDÂNCIA	PIRRAÇA
FÉ	ESTRESSE
CONFIANÇA	RAIVA
AFEIÇÃO	MÁGOA
GENEROSIDADE	REJEIÇÃO
EDUCAÇÃO	COMPETIÇÃO
PAZ	PREOCUPAÇÃO

VS

A cada minuto do seu dia, você vivencia algum estado de espírito baseado no sentimento que está fluindo. Nesse exato instante, o seu estado de espírito é responsável pelo que você vibra.

Aqui entra a Lei da Atração, a energia universal que nos cerca e nos respeita, ao mesmo tempo em que obedece à ciência da Física, respondendo à sua vibração. Ela sempre está se harmonizando com sua vibração. Por isso, se você pensar mais de forma positiva do que negativa no seu dia, você faz a balança pender para o lado positivo.

Círculo da observação inconsciente

O que pode estar acontecendo até agora é que você, antes de estudar tudo sobre Lei da Atração, estava praticando o Círculo da Observação Inconsciente. Milhares de pessoas "adormecidas", sem conhecer a Lei da Atração, vivem assim, recriando mais daquilo que recebem, achando que a vida delas é assim mesmo. Algumas ainda repetem a frase *"O que eu fiz para merecer isso, meu Deus?"*.

Veja este esquema que montei para você:

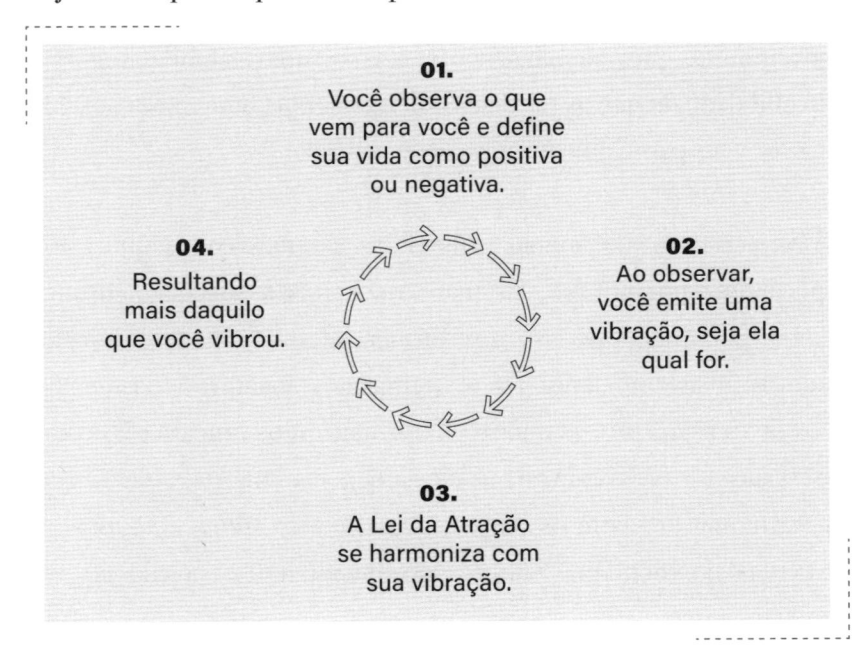

01.
Você observa o que vem para você e define sua vida como positiva ou negativa.

02.
Ao observar, você emite uma vibração, seja ela qual for.

03.
A Lei da Atração se harmoniza com sua vibração.

04.
Resultando mais daquilo que você vibrou.

Um pouco de Física Quântica

Tenho que te contar sobre um evento da mecânica quântica conhecido como Efeito do Zeno Quântico, descrito pelo físico George Sudarshan, da Universidade do Texas. Esse evento é, na verdade, uma extensão da famosa questão do paradoxo do observador, tantas vezes explorado nas obras básicas sobre fenômenos da mecânica quântica.

Ele explica que, quando se observa uma partícula, a interferência do observador muda a velocidade e a posição dela no espaço. Por outro lado, quando não se observa a partícula, ela fica num estado de múltiplas realidades, podendo assumir um sem-número de posições e velocidades que somente serão definidas no momento da observação.

Esse efeito funciona não só com partículas, mas também com íons. Isso significa que, se olharmos vezes seguidas, aumentaremos a probabilidade de que as partículas ou os<#>íons fiquem num estado cada vez mais parecido com as posições iniciais.

Agora, acredito que fiquem mais claras algumas coisas que estou explicando aqui, porque, se analisarmos nosso sistema neuronal, iremos perceber que, se prestarmos atenção a determinados assuntos insistentemente ou se tentarmos manter determinados tipos de pensamento, as conexões dos neurônios funcionarão como observadoras e farão com que os íons atuem em uníssono, que vibrem em harmonia uns com os outros, numa mesma frequência, pois as partículas possuem um campo eletromagnético associado ao seu estado quântico.

"Mas, William, vou ter que estudar Física Quântica para que a Lei da Atração seja acelerada?"

Não, você não precisa estudar tudo para que isso aconteça, mas é importante que entenda um pouco do seu funcionamento. Por exemplo: eu ligo um ventilador e quero vento; não preciso entender como funciona o motor, mas sei que existem hélices que precisam girar, sei que preciso conectar o aparelho à eletricidade, que tenho que apertar o botão de liga/desliga etc. Ou seja, preciso compreender o mínimo.

Dessa engrenagem toda que estamos estudando, é preciso sim compreender o processo, porque você não está só estudando Lei da Atração, você está estudando QUINTESSÊNCIA, A LEI DA ATRAÇÃO ACELERADA.

Então, se você deseja acelerar seu processo, tenha paciência para compreender algumas coisas – certamente valerá a pena.

Sob o ponto de vista prático, podemos afirmar categoricamente que pensar de forma positiva leva os neurônios a escolher um determinado estado quântico em seus íons, produzindo uma onda elétrica que, por uma questão de afinidade física, seleciona outros íons em escala cerebral, que se comunicam com outros neurônios, e assim, num efeito cascata, o cérebro fica imerso nesses íons positivos.

Sob o ponto de vista biológico, isso leva os neurônios que mantêm os canais que levam e trazem informação a se estabelecer num mesmo estado.

Os canais transportam formas semelhantes de íons e, consequentemente, fornecem respostas semelhantes para um mesmo tipo de estímulo. Assim, pensar positivamente faz com que os canais de informação e os íons fiquem cada vez mais no mesmo estado.

É fato conhecido da neurociência que pensar em algo com firmeza e constância nos leva, com o tempo, a tomar esses pensamentos como verdades. A explicação é que esses canais se estabelecem e se formam como um ponto de foco, levando, química e quanticamente, a mente a se estabelecer num novo parâmetro de pensar.

Neste esquema novo, você pode ver como funciona o **Círculo da Observação Consciente.**

Perceba como são diferentes o papel e a postura de quem assume sua vida.

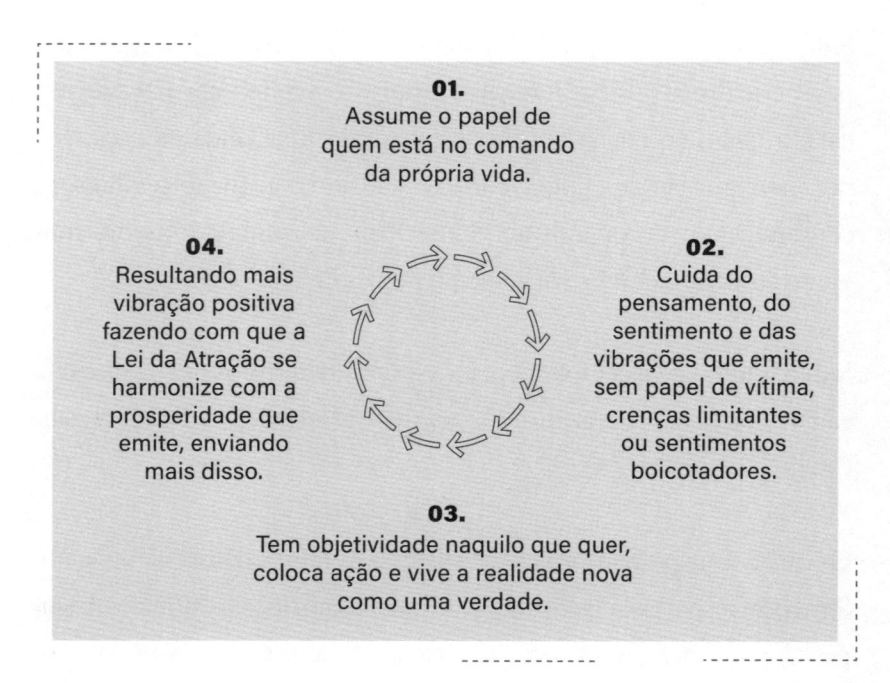

01.
Assume o papel de quem está no comando da própria vida.

02.
Cuida do pensamento, do sentimento e das vibrações que emite, sem papel de vítima, crenças limitantes ou sentimentos boicotadores.

03.
Tem objetividade naquilo que quer, coloca ação e vive a realidade nova como uma verdade.

04.
Resultando mais vibração positiva fazendo com que a Lei da Atração se harmonize com a prosperidade que emite, enviando mais disso.

"**Nesse exato instante,** O SEU **ESTADO DE ESPÍRITO** é responsável pelo O QUE VOCÊ VIBRA"

Que download você fez deste capítulo?

_____

_____

_____

_____

_____

_____

_____

_____

_____

_____

_____

_____

_____

Capítulo 4

POR DENTRO DOS SONHOS,

metas e objetivos

"Perceber pequenas mudanças
ajuda você a se adaptar às mudanças
maiores que estão por vir."
Spencer Johnson

O Universo é um espelho, e a Lei da Atração está refletindo de volta para você seus pensamentos dominantes.

66 *Você cria sua vida* COM SEUS **PENSAMENTOS** 99

Isso te tranquiliza ou te assusta?

Agora você já entendeu que a Lei da Atração está constantemente funcionando na sua vida.

Você não tem que se preocupar em ativá-la.

Não precisa de oração, simpatia, colocar um copo de água do lado da cama... não precisa de nada disso.

A Lei da Atração já funciona.

Se hoje a sua vida está do jeito que você sempre quis, parabéns! Foi você que criou isso.

Se a sua vida não está como você sempre quis, parabéns também. Foi você que criou isso.

A sua vida de hoje, sem tirar nem pôr, foi cocriada por você, por meio das escolhas que você fez até aqui.

Você é cocriador da sua realidade.

Agora, se você cocriou uma realidade que não era a desejada, então talvez esteja lhe faltando clareza, que é um dos pilares para a Lei da Atração funcionar de forma rápida na sua vida.

> "
>
> **Quando tudo parece estar indo contra você, lembre-se que o avião decola contra o vento, não a favor dele.**
> **Henry Ford**

Vamos imaginar que você vai ao drive-thru de uma lanchonete. O drive-thru é para ser uma coisa rápida, né?

Você não precisa parar o carro, ir até o interior da lanchonete e se sentar para comer. Você simplesmente passa com o carro em volta da lanchonete, faz o seu pedido numa máquina, paga no caixa e depois recebe numa janelinha de atendimento. A ideia é que seja rápido.

Só que, às vezes, a pessoa chega diante da máquina e, quando o atendente pergunta qual é o pedido, a pessoa não sabe o que quer. Aí começa: *"Hum... qual é mesmo o número do combo? Amor, como é o nome daquele sanduíche que você gosta? Filho, vai querer batata pequena ou grande? Amor, você quer refrigerante ou suco? Eu quero torta de maçã. Não, não. Quero a de banana..."*

Ou seja, se você vai ao drive-thru sem ter clareza do que quer, atrapalha todo o fluxo. Então, o que você vai fazer a partir de agora é imaginar a vida, o Universo, como um grande drive-thru. Você chegou diante da máquina e está fazendo o seu pedido.

Você precisa saber exatamente o que quer, para que o Universo possa providenciar e te entregar.

Quando falamos em Lei da Atração, muitas pessoas têm dificuldade de saber o que estão pedindo. É isso mesmo!

Como você vai conseguir se conectar com algo que nem sabe o que é? Existem muitos futuros disponíveis. Vivemos num mundo de infinitas possibilidades.

Chegar ou não ao futuro almejado vai depender de como você vai desenhar seus sonhos, seus objetivos e suas metas a partir de agora. Para isso, é preciso ter clareza do que você quer. Somente assim a sua energia começará a lhe trazer tudo rapidamente!

> **"**
> Se você pode sonhar, você pode fazer.
> **Walt Disney**

Tudo começa dentro de nós.

Tudo nasce de um sonho. Tudo que se vê no externo, tudo o que pegamos antes nasceu dentro de alguém que sonhou. Sonhos nunca são bobagens, porque eles mantêm as pessoas vivas!

Agora, convido você a fazer sua *dream list*, uma lista de sonhos que vai te ajudar a acelerar a Lei da Atração. Afinal, o Universo precisa saber exatamente o que você quer!

Bem rápido agora: o que você deseja?

Para que você possa trazer coisas para sua vida, é preciso ter uma lista de sonhos e clareza de que sonhos são esses.

Por exemplo, se você quer encontrar um relacionamento, não adianta escrever: *"Universo, eu quero um homem bonito"*. Tem que ser mais específico que isso. Tem que dizer o que é um homem bonito para você: é um homem alto e magro? É um homem gordinho? Ele tem cabelo liso ou é careca? Moreno ou de pele clara? Seja específico. *"Tem que ser espiritualizado, ter carro e gostar de viajar. Tem que gostar de mim, ser carinhoso, querer ter filhos..."* Você precisa colocar tudo o que envolve um homem ideal para você, então o Universo irá te conectar com isso.

Outro exemplo: *"Ah, eu quero um carro bom."* Um trator é um carro bom porque é forte, mas não é isso que você quer, correto?

Então, qual é o carro bom para você? *"Ah, eu quero um carro branco, de tal marca, do ano tal, com teto solar e ar-condicionado."* Aí, sim, o Universo vai entender e conectar para trazer esse carro até sua realidade.

A lista de possibilidades é infinita. Um emprego bom, para algumas pessoas, é passar o dia sentado num escritório.

Para outras, é nunca ter que ir a um escritório. Alguns querem passar num concurso. Outros, só de pensar nisso, já sentem um arrepio, porque querem ter seu próprio negócio, ser empreendedores.

Isso tudo evidencia que o segredo da sua lista de sonhos é o detalhe.

Não economize nos detalhes enquanto estiver escrevendo. Esse exercício é muito poderoso. Tudo o que você escrever nessa lista dos sonhos vai acontecer.

Repita agora: *"Tudo que estou escrevendo na minha lista de sonhos vai acontecer na minha vida. Eu estou criando essa realidade."*

Portanto, reescreva a seguir o que você listou anteriormente, desta vez de forma bem detalhada. Você está dando uma ordem ao Universo e, para que não ocorra nenhum erro, você precisa dizer com todas as características possíveis.

_____

_____

_____

_____

_____

_____

_____

_____

_____

_____

_____

_____

_____

_____

Você pode estar se questionando: *"Pode ser mais de um sonho?"*

Pode, mas não agora!

Lembre-se que você está estudando como fazer.

Portanto, vamos com calma, passo a passo.

Focando em uma coisa, você verá como é possível e poderá fazer com todas as outras coisas depois.

Coloque foco aqui e agora em um pedido, em uma ordem, e depois verá a coisa toda acontecer.

Siga estudando e entendendo a engrenagem da Lei da Atração.

Tenha em mente que o maior erro das pessoas é parar no meio, sem entender o processo.

Depois disso, elas acabam desistindo e se tornando as piores propagandistas da Lei da Atração, dizendo que não funciona, que é balela e mentira inventada!

Objetivos

> Você prova que é capaz quando começa a ser capaz de não se importar com o que os outros acham ou deixaram de achar de você.
>
> **Walt Disney, *A pequena sereia***

Jamais use as expressões *"não posso ter"* ou *"não posso fazer"*.

A sua mente subconsciente leva as suas palavras ao pé da letra e se encarrega de assegurar que você não tenha dinheiro ou a habilidade para realizar o que deseja.

Porém, a partir de agora, você tem um objetivo! Saiba disso e veja a mágica acontecer.

A palavra objetivo deriva da mesma palavra latina que objeto.

E um objeto é algo concreto e palpável, que pode ser mensurado.

Objetivo, portanto, é a descrição, de forma mensurável, daquilo que queremos alcançar.

Ter um objetivo é saber exatamente o que você quer.

Eu lembro que, quando comecei a escrever, produzir conteúdo e aparecer na televisão, todos os dias, quando ia tomar café da manhã no meu apartamento e assistia ao programa da Ana Maria Braga, eu dizia assim: *"Eu vou no programa da Ana Maria"*.

Eu me visualizava lá, tomando café e conversando com ela, sendo entrevistado por ela.

Esse era o meu objetivo.

Para chegar a isso, fui cumprindo pequenas metas: fui me

especializando, finalizei um livro, fiz cursos, gravei vídeos para o YouTube, participei de outros programas de televisão. E todos os dias eu me lembrava do meu objetivo.

Até que um dia – lembro como se fosse hoje – eu estava em Florianópolis e tocou o meu celular.

O número tinha o código de área 21, do Rio de Janeiro. Atendi e era uma menina da produção do programa da Ana Maria Braga.

A própria apresentadora havia recebido um vídeo meu no WhatsApp e, por ter gostado do conteúdo, o mostrou aos diretores, que decidiram gravar uma matéria comigo. Bingo!

Eu tinha um objetivo claro, que era ir ao programa da Ana Maria Braga, mas isso não aconteceu da noite para o dia: eu tive que percorrer um caminho para chegar lá.

Talvez, se eu tivesse sido chamado um tempo antes, ainda não estivesse pronto.

Eu poderia não ter a experiência necessária para falar na televisão ou poderia ainda não ter a credibilidade que tenho hoje.

Talvez não tivesse tantos livros publicados e, sem eles, meu vídeo poderia não ter sido levado a sério, como tantos vídeos de pessoas que falam sobre o mesmo assunto que eu, mas não têm pesquisa, não têm livros, não têm as horas de palestras e de atendimento que eu tenho.

O que eu desejo que você entenda é que tão importante quanto traçar um objetivo é fazer com que ele tenha um alto grau de motivação, porque é isso que vai gerar o seu comprometimento com o processo.

E o seu comprometimento e a sua dedicação é que farão você estar pronto na hora em que o Universo conectar o seu pedido.

Se você tem um objetivo, se quer alguma coisa, tem que saber por que quer isso.

Vamos supor que você queira muito um carro.

Você não quer simplesmente gastar o dinheiro naquela marca ou cor.

Você quer o carro porque ele vai te dar prazer, você vai se sentir mais bonito dentro dele, vai dar conforto para sua família, vai ser visto e notado quando chegar aos lugares naquele carrão... por mais que isso pareça uma bobagem para algumas pessoas, se for a sua motivação, é importante para você.

Por isso é essencial ter um objetivo muito claro.

Se o seu objetivo é ser uma pessoa rica e próspera, algumas perguntas podem te ajudar a definir isso.

O que é prosperidade para você?

Como você define prosperidade?

O que você quer dizer com prosperidade?

_____

_____

_____

_____

_____

_____

_____

_____

_____

_____

_____

_____

_____

_____

_____

Essas questões são profundas e vão te ajudar a entender com clareza aonde você quer chegar e quais são as pequenas metas que te levarão até lá.

Metas

Aventure-se fora da zona de conforto.
As recompensas valem muito.

Walt Disney, *Rapunzel*

É bastante comum confundir metas com objetivos.

Como acabamos de ver, objetivo é o ponto final aonde desejamos chegar.

Então, o que são as metas?

São os pequenos marcos pelos quais podemos medir nosso avanço rumo ao objetivo maior.

A meta precisa ser quantificada e tem um prazo determinado.

Para você entender melhor, vou usar o exemplo do jogo de futebol.

O objetivo claro do time é vencer o campeonato.

Mas como isso é possível? Traçando pequenas metas: ganhar um jogo de cada vez e, dentro de cada jogo, fazer gols.

Metas são as pequenas coisas que fazemos todos os dias rumo ao nosso objetivo.

Outro exemplo em que fica bem fácil de entender é o emagrecimento. Imagine que você quer emagrecer trinta quilos.

Esse é o seu objetivo. Mas quais são as metas?

São as pequenas ações que você vai fazer todos os dias: primeiro as caminhadas, depois vai começar a correr um pouquinho, vai diminuir a quantidade de comida, se comia oito pedaços de pizza, passa a comer dois, vai procurar ajuda de nutricionista e se for preciso vai ao endocrinologista e fazer exames.

Tudo isso são pequenas metas para chegar ao objetivo de eliminar trinta quilos.

Talvez você nunca tenha entendido claramente a diferença entre metas e objetivos, talvez nunca tenha parado para defini-los e planejá-los.

E é justamente por isso que chegou a essa vida que não é exatamente como queria. Mas tudo isso vai mudar a partir de agora!

Uma dica minha para você:

Atenção com aquilo que deseja.

Todo objetivo muito grande exige renúncias e precisamos ter o cuidado de não fazer escolhas erradas, como é o caso de quem quer ter uma carreira executiva meteórica e ainda pretende dar atenção total à família e à sua saúde e depois se frustra por não conseguir manter tudo.

Não estou te limitando, mas sim abrindo seus olhos para sempre ter os pés no chão.

É cada vez mais comum pessoas "chegarem lá" e logo depois se arrependerem do que escolheram para si, se vendo obrigadas a reorganizar todo processo.

Imagine um navio em alta velocidade no mar.

De repente, o capitão decide que a rota não será mais a mesma e muda todo percurso.

Levará um tempo para o navio se mover novamente em outra direção.

A Lei da Atração não é um botão que você aciona toda hora dizendo "agora é isso", "agora é aquilo".

Sonhos, objetivos e metas. Siga firme!

Vamos estudar mais sobre isso e as coisas irão se esclarecer cada vez mais.

Por enquanto, me conte sobre o que leu até aqui.

Que download você fez deste capítulo?

Quintessência – Lei da Atração Acelerada

Capítulo 5

RESULTADOS
esperados

"Você nunca saberá o que pode fazer até tentar. No entanto, a triste verdade é que a maioria das pessoas nunca tenta nada até saber que consegue fazer isso."

Bob Proctor

O que eu quero que você faça agora é um aprofundamento nos seus objetivos, nos resultados que você espera para sua vida, lembrando que nossa mente só trabalha com afirmações.

> **"**
>
> Os pensamentos que escolhemos pensar são as ferramentas que usamos para pintar o quadro de nossas vidas.
>
> **Louise Hay**

Se eu acreditar que a vida não me dá oportunidades, assim será.

Se eu me movimentar e acreditar que as oportunidades estão pelo meu caminho, as coisas começarão a acontecer.

Pare de se lamentar e achar que a vida não te sorriu com sorte. Sorte é aquilo que trazemos para nós, é como encaramos o mundo e como nos colocamos nele.

De nada adianta você continuar achando que suas experiências ruins são as únicas no planeta, que suas experiências ruins são a única verdade.

Não são! Você é mais do que isso.

Caminhe!

Você sabe bem qual é o primeiro passo que deve dar hoje.

Sabe a voz dentro da sua cabeça? Nesse exato momento ela é mais:

( ) NEGATIVA

( ) POSITIVA

( ) NEM POSITIVA NEM NEGATIVA, ELA FICA VARIANDO ENTRE UMA COISA E OUTRA

Só você escuta sua voz interna, e ela conversa o tempo todo aí dentro.

Se você fica aí dentro assim:

"Estou velho demais."
"Isso não é para mim."
"Sei que não sou capaz."
"Hoje em dia não sou saudável como costumava ser."
"Não sou merecedor disso."
"Fui rejeitado a vida toda."
"Me sinto culpado por não ter feito diferente."
"Se eu pudesse voltar no tempo."
"Nunca tive apoio de minha família, marido, esposa, filhos..."
"Já tentei de tudo, mas para mim não funciona."

Você pode não imaginar, mas nessas afirmações estão escondidos sentimentos e histórias que se tornam verdades absolutas, que são o mesmo que crenças limitantes.

São ideias tão fortes, que regem sua forma de pensar.

Por mais que você veja algo externo diferente, a sua mente sempre cria um motivo para justificar sua forma de pensar.

Esses pensamentos são limitações impostas a você pela sua própria mente!

Seria bem diferente se a mente pensasse sempre assim:

"Estou saudável."
"Estou bem comigo mesmo."
"É possível recomeçar sempre."
"Estou no meu tempo e me respeito."
"Eu mereço, eu aceito, eu agradeço."
"Tudo vem a mim com facilidade, alegria e glória."
"Eu me amo e está tudo bem."

Não é só isso que vai mudar sua vida.

Lembre-se de que ninguém está falando para você ficar na varanda do seu apartamento pensando positivo, achando que ele sozinho faz tudo.

Mas é importante e faz parte do processo pensar positivo e ter sentimentos assim também!

Talvez você, assim como eu, não tenha recebido estímulos positivos desde a infância, então, não se culpe por pensar como pensa.

Está tudo bem!

Você está em um processo – na verdade, todos nós estamos.

Por isso é importante conhecer a Lei do Reforço.

A Lei do Reforço

> **"**
>
> O Universo começará a se reorganizar para fazer acontecer o que você quer.
>
> **Joe Vitale**

O primeiro passo para organizar e manter qualquer tipo de condicionamento de sucesso é o poder do reforço.

Para produzir de forma sistemática qualquer comportamento ou emoção, devemos criar um padrão condicionado, que aqui chamo de hábito.

Hábito é tudo aquilo que fazemos sem perceber.

Está condicionado, é automático.

Todos os padrões são resultado de reforço, de repetição, de ajuste e insistência.

De forma mais específica, a chave para criar a consistência em nossas emoções e comportamentos é a insistência.

Não quero te jogar nada na cara, mas quando você conhece o poder e não faz uso dele, é conivente com todas as suas dores.

Qualquer padrão de emoção ou comportamento que seja reforçado de modo contínuo se tornará uma reação automática e condicionada, ou seja, um hábito.

Qualquer coisa que deixamos de reforçar acabará por se dissipar.

Podemos reforçar nosso comportamento ou o de outra pessoa por meio do reforço positivo, ou seja, a cada vez que produzimos o comportamento que desejamos, damos uma recompensa, que pode ser um elogio, um presente, um novo privilégio... ou podemos usar um reforço negativo: uma cara amarrada, um barulho qualquer, até uma punição física.

É fundamental compreender que reforço não é a mesma coisa que punição e recompensa.

Reforço é a reação a um comportamento imediatamente depois que ocorre, enquanto a punição e a recompensa podem ocorrer muito tempo depois.

> "
> Não há nada que o treinamento não possa fazer. Nada está além de seu alcance. Pode transformar a moral ruim em boa; pode destruir maus princípios e recriar os bons; pode elevar homens e anjos.
>
> **Mark Twain**

Nós apontamos, fornecemos respostas prontas e fazemos afirmações o tempo todo.

Você pode observar: fazemos isso sempre em nossas relações.

É com marido ou esposa, com filho, chefe, funcionários. *"Você deixou a toalha molhada em cima da cama de novo. Não é possível! Não aguento mais limpar a casa!"*

Quando nos comunicamos assim, quando fazemos afirmações, não colocamos a nós mesmos nem o outro para pensar.

Então, uma das ferramentas mais poderosas que existe – e também uma das mais negligenciadas – são as perguntas.

Imagine o que aconteceria se, em vez de brigar e fazer afirmações, você perguntasse: *"Como você acha que me sinto quando você deixa a toalha molhada em cima da cama?"*

No mínimo, obrigaria a outra pessoa a pensar na atitude dela.

É por isso que, agora, vou trazer para você cinco perguntas muito poderosas. São questionamentos provocativos para te ajudar a ter mais clareza e expandir o processo.

1. QUAIS SÃO OS SEUS PRINCIPAIS OBJETIVOS ESPECÍFICOS?

Especificamente, o que você está buscando? Lembre-se da fila do drive-thru.

Para que a atendente possa lhe servir, você precisa dizer exatamente o que quer na lanchonete.

Por muitos anos eu atendi em consultório, e o que mais vi foram pessoas que chegavam lá e repetiam com muita força tudo aquilo que não queriam mais.

Reclamavam do marido, do trabalho, dos problemas que os filhos davam.

Elas falavam sobre tudo aquilo e quando eu perguntava *"Então, o que você quer no lugar de tudo isso que já não quer mais?"*, elas tinham muita dificuldade de responder.

Portanto, quero que você responda a estas perguntas: o que você deseja melhorar? Quais são os seus objetivos específicos? Pontualmente, o que você está buscando agora?

Essas indagações fazem com que você saia do estado de dor e comece e pensar no estado que deseja alcançar, nas coisas positivas e boas que quer a partir de agora.

Neste exato momento, você começa a trabalhar uma vida nova!

O que vamos fazer com isso é criar um novo processo neural.

Entenda: **todas as vezes em que eu passeio pelo passado, faço com que esse passado se mantenha vivo dentro de mim.**

Aquela estrada que já percorri continua sendo uma estrada viva.

Mas, quando eu paro de falar do passado, aquela estrada começa a morrer, ela deixa de ter vida.

E quando eu começo a falar com clareza e a gritar para o mundo quais são os meus sonhos, os meus desejos, meus objetivos e pequenas metas, esse processo neural cria uma nova estrada que ganha vida dentro de mim.

Então, seja o mais específico possível.

Se você disser que quer ser feliz, viver bem e ganhar um bom salário, tudo isso são coisas imensuráveis.

Não dá para saber o que é "ser feliz". Para algumas pessoas, ser feliz é se casar. Para outras, é terminar um casamento.

Então, dizer apenas "ser feliz" não é específico o suficiente.

Por isso, ao responder a essa pergunta, seja o mais específico possível.

_____

_____

_____

William Sanches

105

2. ESSE SEU OBJETIVO É ALCANÇÁVEL?

Você conhece pessoas que já conquistaram esse objetivo que você almeja?

Vamos imaginar que o objetivo de alguém seja fazer uma viagem para a Lua.

Hoje, enquanto eu escrevo este livro, algumas pessoas estão viajando para a Lua.

Quem são essas pessoas? Quantos anos elas têm? Por quanto tempo precisaram se preparar para fazer essa viagem, tanto no aspecto físico quanto mental, e até mesmo espiritual?

Se é preciso um preparo mínimo de 10 anos e a pessoa que tem esse sonho hoje tem 70, será que esse é um objetivo alcançável?

Será que ela vai poder viajar para a Lua aos 80 anos?

Veja bem, não é meu papel julgar os sonhos de ninguém.

Só quero deixar claro que o seu objetivo tem que ser palpável, mensurável e atingível.

Se você quer alguma coisa, precisa saber de tudo isso.

Suponha que você tenha o sonho de se casar com um famoso jogador de futebol conhecido mundialmente.

Será que ele vai querer casar com você? Será que ele quer se casar algum dia? Ou ao menos estar num relacionamento? E com você? É esta a pergunta: esse objetivo é alcançável?

Muitas vezes, por mais que as pessoas tenham uma força e uma fé tremendas, elas não conseguem acessar o que querem porque não têm essa clareza se o objetivo é alcançável ou não.

Então, o seu objetivo é alcançável?

_____

_____

_____

Quintessência – Lei da Atração Acelerada

3. COMO VOCÊ VAI SABER QUE ATINGIU OS RESULTADOS ESPERADOS?

Além de alcançável, seu objetivo precisa ser mensurável.

Você precisa ter uma evidência de que chegou aonde quer.

Como você vai medir isso?

"Ah, William, eu vou estar muito bem."

Certo, mas o que é "estar muito bem"?

Se o seu objetivo é emagrecer trinta quilos, você vai saber que chegou ao resultado subindo na balança, acompanhando cada etapa do processo, precisando se desfazer das suas roupas.

Quando for comprar roupas novas, terá que adquirir dois números menores – se antes usava GG, agora vai vestir M.

Você precisa definir coisas palpáveis que vão garantir para você e para sua mente que vocês estão atingindo seus resultados.

Então, de que forma você saberá que atingiu os resultados esperados?

_____

_____

_____

_____

_____

_____

_____

_____

_____

_____

_____

4. O QUE VOCÊ GANHA COM ISSO?

Você precisa ter em mente qual é o ganho que vai ter quando chegar ao seu objetivo.

O que você ganha se conseguir emagrecer os trinta quilos?

Você vai poder se vestir como quiser, com as roupas que mais gostar, já que tudo vai cair bem, vai ser mais elogiado, vai ter mais saúde, mais disposição para caminhar, trabalhar, namorar, dançar.

Faça uma lista de tudo o que você vai ganhar quando atingir o seu objetivo.

Se o seu objetivo é comprar um carro, quais são os ganhos?

Não vai mais enfrentar transporte público lotado, quente, com pessoas empurrando você, não vai mais precisar acordar tão cedo como antes, vai poder dormir uma hora a mais todo dia, que são cinco horas por semana, vinte horas no mês...

Perceba todas as coisas boas que o seu objetivo vai trazer para você e anote.

_____

_____

_____

_____

_____

_____

_____

_____

_____

_____

_____

5. QUAL É O VALOR DISSO PARA VOCÊ HOJE?

Para responder a essa pergunta, entenda que valor não é preço.

Não é quanto custa realizar seu sonho ou objetivo.

Valor não tem a ver com quanto você vai pagar, mas sim com o que está dentro de você.

O valor do seu objetivo para você tem relação com os seus valores pessoais, sua moral.

Se você definiu como objetivo emagrecer trinta quilos – só para manter o exemplo –, como esse objetivo está alinhado com seus valores?

Você pode responder que está alinhado com os valores da saúde, da superação, do bem-estar, da beleza ou o que mais fizer sentido para você.

Então, qual é o valor disso para você hoje?

_____

_____

_____

_____

_____

_____

_____

_____

_____

_____

_____

_____

_____

Agora respire fundo, se concentre e reflita: que conclusões você tira dessas perguntas?

Se quiser, feche os olhos e fique em silêncio por um momento, refletindo sobre isso.

Depois, anote as suas conclusões.

Quais foram os *insights*?
Que downloads vieram para você?
Que ações você pode tomar a partir de agora para começar a caminhar na direção do seu objetivo?

E, principalmente, o que você pode fazer de diferente, porque tudo o que você vem fazendo te trouxe até onde você está hoje e, se não mudar, se não fizer diferente, vai continuar tendo os mesmos resultados de sempre.

Não adianta dizer que vai pensar, que é tudo muito subjetivo ou abstrato. Não é.

Eu quero que você defina uma primeira ação. Pode ser dar um telefonema, fazer uma caminhada ou ir ao mercado comprar comida mais saudável. O importante é você pensar quais ações pode tomar para chegar, um passo que seja, mais perto do seu objetivo.

A Lei da Atração sempre vai responder aos seus pensamentos, sejam eles quais forem. Porém, quanto mais objetivo, maior a intensidade.

Que download você fez deste capítulo?

Capítulo 6

ECOLOGIA

"Mesmo que você dê apenas 51% de pensamentos e sentimentos bons, você já fez a balança da vida pender para o lado positivo!"

Rhonda Byrne, *O poder*

Você certamente já ouviu falar em ecologia.

E o que vem à sua mente quando escuta essa palavra?

Muito provavelmente você deve ter pensado em meio ambiente, em natureza, na vida no nosso planeta.

Em geral, é isso que nos ocorre quando pensamos em ecologia.

Porém, quando se trata dos nossos sonhos, objetivos e metas, há também um tipo diferente de ecologia, que ninguém nos explica.

Entender isso vai fazer uma grande diferença em sua vida.

Quando começamos a estudar e praticar a Lei da Atração, é normal nos empolgarmos e criarmos inúmeros objetivos e metas para nós.

E é aí que, muitas vezes, nos esquecemos de que não estamos sozinhos no mundo.

Há pessoas à nossa volta – nós temos um trabalho, vivemos em sociedade, temos uma família.

Não podemos simplesmente ser egoístas ou egocêntricos achando que somos o centro do mundo e os outros que se danem.

Não é assim que funciona.

Estamos interligados a diversas outras pessoas que nos amam, que se importam conosco, e por isso é preciso harmonizar e equilibrar nossos desejos e objetivos.

Isso é ecologia.

É olhar para o sistema maior e para os tipos de limites que estabelecemos a fim de entender com o que estamos lidando.

Ecologia é olhar para todo o sistema no qual cada um de nós está inserido.

Devemos ter uma visão holística não só do problema, mas também das pessoas à nossa volta.

Imagine se você decidisse se mudar agora para a Patagônia!

Você fez uma viagem, se apaixonou pelo lugar e decidiu que quer morar lá.

Só que você tem uma família, tem uma casa, tem um emprego, tem um apartamento.

Não estou dizendo que o sonho de morar na Patagônia não seja viável. Você pode vender sua casa aqui e comprar outra lá, até aí tudo bem.

Você pode até ser seu próprio chefe e trabalhar de qualquer lugar do mundo, mas, ainda assim, você tem que se perguntar: "As pessoas ao meu redor têm esse mesmo sonho que eu?" – afinal, morar na Patagônia é algo que vai influenciar a vida de toda a família.

No momento em que pensa no outro, você está trabalhando com amor, e o amor é a mais alta vibração que podemos ter.

Claro que o amor-próprio importa, e muito.

Eu sou o cara que mais defende o amor-próprio, tenho até livros publicados sobre esse assunto.

Também sou o cara que está aqui para te dizer que você tem, sim, que pensar nas pessoas que estão à sua volta, na equipe que você formou ao longo da vida, nessa rede de amor com a qual você está interligado.

66

ECOLOGIA IMPLICA NO ESTUDO DAS CONSEQUÊNCIAS, OU SEJA, QUAL SERÁ O IMPACTO DE MINHAS MUDANÇAS E TRANSFORMAÇÕES? QUAL SERÁ O IMPACTO DA MINHA NOVA VIDA NO QUE ESTÁ AO MEU REDOR? 🥄🥄

Às vezes, nós desejamos muito uma coisa e nos frustramos porque não conseguimos, mas não vemos que isso não seria bom para a gente em algum âmbito.

Eu, por exemplo, não poderia me mudar para a Patagônia. Lá é lindo, obviamente, mas eu jamais sobreviveria lá. Não seria bom para a minha saúde. Claro que a Patagônia é um exemplo extremo, mas quero que você entenda que, às vezes, achamos que uma coisa é perfeita para nós e não nos damos conta de que não seria tão bacana assim.

Durante bastante tempo eu quis muito uma coisa na minha vida, e essa coisa não veio.

Depois de alguns anos, compreendi que aquela seria a pior coisa que poderia ter acontecido comigo, pois eu teria infartado e até morrido, como um colega meu morreu.

Não vou falar o que era porque não vem ao caso; o que importa é que hoje eu entendi que a maneira ecológica do mundo me ver fez com que aquilo não se realizasse. E isso foi ótimo!

Anote este download:

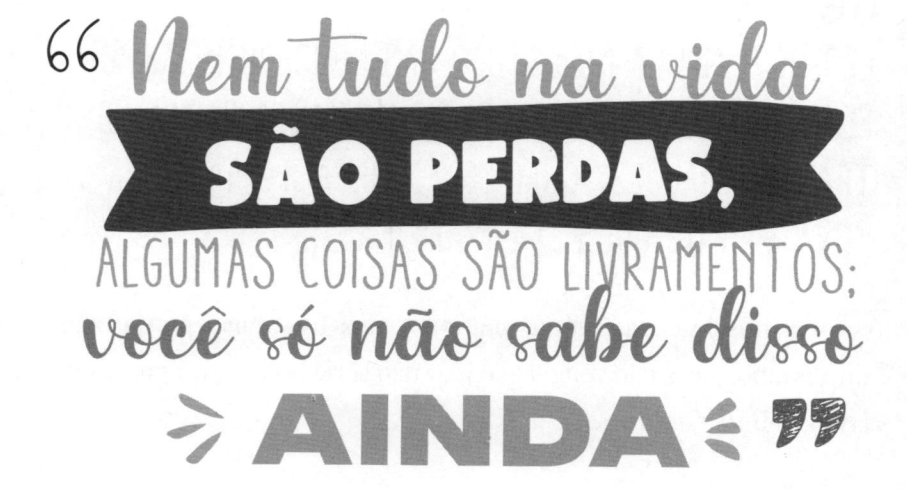

Nem tudo na vida SÃO PERDAS, ALGUMAS COISAS SÃO LIVRAMENTOS; você só não sabe disso AINDA

> Só uma palavra nos liberta de todo o peso e dor da vida. Essa palavra é amor.
> **Sófocles**

Neste exato momento, podem estar acontecendo muitos livramentos em sua vida!

Por isso, te convido a fazer um exercício que vai te ajudar a entender se o seu objetivo e as suas pequenas metas estão ecologicamente ajustados, de forma holística, ao seu sistema de mundo.

Mais uma vez vou pedir: seja honesto consigo mesmo. É sobre sua vida que estamos falando e, possivelmente, da vida das pessoas que você ama.

1. VOCÊ ESTÁ SENDO HONESTO CONSIGO MESMO E COM AS OUTRAS PESSOAS?

"William, o que você quer dizer com honesto?"

Você está sendo honesto com os seus desejos? Isso que você diz que quer é um desejo seu mesmo? É você quem quer isso? Você está sendo honesto consigo mesmo ou está sendo uma pessoa inconsequente?

_____

_____

_____

_____

_____

_____

_____

_____

_____

_____

_____

2. QUANTO ESSE OBJETIVO É REALMENTE VIÁVEL?

Você consegue mensurar esse objetivo para saber se o alcançou? E o que vai acontecer se você realizar esse objetivo? Quais serão as consequências?

Às vezes, pode ocorrer o seguinte: você tem família e filhos, e tem o desejo de morar em Portugal, mas sua esposa detesta Portugal. Seus filhos vão ter que estudar lá e se adaptar a uma realidade completamente diferente.

Eles não querem isso. É só você que quer. É viável realizar esse objetivo?

Responda sinceramente.

Quintesséncia – Lei da Atração Acelerada

3. ISSO REALMENTE VAI LHE TRAZER SUCESSO SEM CONFRONTAR SEUS VALORES?

Se você quer muito alguma coisa, antes de seguir em frente, certifique-se de que isso não vai entrar em choque com os seus valores. Por exemplo, se uma pessoa me convida para ser deputado e me oferece R$ 500 mil para eu me candidatar, isso já está indo contra os meus valores, porque eu jamais aceitaria dinheiro para ser candidato a qualquer coisa. Percebe o que estou dizendo?

Não é nada contra a carreira de deputado em si. Eu entendo quem tem esse sonho para ajudar as pessoas, mas se a forma como isso é proposto começa com uma coisa que vai contra os valores, aí é melhor dizer não.

Isso pode acontecer com você. Podem surgir oportunidades de realizar alguns sonhos que, quando você analisa, vê que não são tão legais assim, porque ferem a sua ética, a sua moral, aquilo que você acredita e que tem de mais valioso.

Eu desejo que você sonhe, sim, mas também quero que você respeite os seus valores na hora de realizar seus sonhos, para não se perder da sua essência.

4. A REALIZAÇÃO DO SEU OBJETIVO VAI AFETAR DIRETAMENTE ALGUÉM?

Imagine que, durante muito tempo, uma mulher quis uma casa na praia. Ela fez o possível e o impossível para conseguir. Ela não deixou ninguém da família gastar nenhum dinheiro por um longo período. A filha queria um conjunto de canetas novo, ela dizia não. O filho queria uma camiseta nova, ela dizia não. O marido queria levar as crianças no parque de diversões, ela negava alegando que tinham que economizar o dinheiro do ingresso porque estavam juntando para a casa na praia. Caderno caro e mochila bonita para ir à escola? De jeito nenhum!

Até que ela comprou a casa na praia. E fez a família ir para lá com ela. E o que aconteceu? Todo o resto da família pegou ranço da casa na praia porque tudo o que eles queriam foi negado, todos os sonhos deles foram apagados, eles deixaram de se divertir, de aproveitar, de comer coisas gostosas, tudo por causa daquela casa.

Podemos ver que essa mulher não pensou ecologicamente, não considerou a família e fez todo mundo abrir mão dos seus próprios sonhos pelo sonho dela.

Então, é fundamental você compartilhar o seu sonho com a família e entender se esse é um sonho de todos, se é um objetivo em comum. E está tudo bem se for um sonho só seu. Mas, nesse caso, analise a realidade a sua volta e veja se não vai atingir ninguém.

Se não for, tudo bem, pode tocar o barco.

_____

_____

_____

_____

_____

_____

_____

_____

_____

_____

Nesse contexto, como medir o impacto dos seus objetivos nos demais envolvidos?

É imprescindível que você, além de analisar, consiga mensurar o impacto que seus objetivos podem causar nas pessoas à sua volta. Imagine que um pai de família tem o sonho de fazer intercâmbio, então ele decide que vai e ponto final. Ele simplesmente larga mulher e filhos aqui e vai embora. Só que ele é o provedor da casa e, enquanto ele estiver fora, a família vai ficar sem ter como se sustentar.

Isso é viável dessa forma? Não.

E qual é a melhor maneira de resolver isso? Dialogando.

Converse com as pessoas. Pergunte o que elas pensam.

Como você acha que teria sido se a mãe que queria muito a casa na praia tivesse perguntado ao marido e aos filhos: *"Como é para vocês a ideia de morar lá?"*

É importante saber se as pessoas à sua volta partilham do mesmo sonho que você e como podem negociar para que tudo seja feito ecologicamente.

Quando todos compartilham um sonho, ou ao menos entram num acordo, fica mais fácil chegar ao objetivo, já que todo mundo se ajuda.

E não é só no ambiente familiar que as suas ações têm impacto, mas no ambiente de trabalho também.

Imagine se o pai do nosso exemplo larga tudo para fazer intercâmbio: além de deixar a família sem sustento, ele deixa também um sócio sem apoio, que terá que dar conta de tudo sozinho e ainda manter a empresa e os funcionários.

Quando você não pensa no todo de uma forma ecológica, baixa sua vibração e pode ser que a Lei da Atração fique emperrada, não funcionando de forma acelerada para você.

Tudo no Universo é muito mais amplo do que nós.

Nós, humanos, só temos nossos olhos e nossa consciência, então só conseguimos enxergar as coisas até onde nossa visão alcança.

Enquanto você lê este livro, está ampliando a sua consciência.

Você vai experimentar uma expansão que vai te ajudar a perceber outras coisas, e assim tudo vai ficando mais leve para que a Lei da Atração possa chegar e agir de maneira ecológica em sua vida.

Portanto, pegue tudo o que você anotou até agora e leve para analisar e conversar com as pessoas à sua volta, para ver se todos os seus desejos e sonhos estão organizados de maneira ecológica.

Isso é importante para que você não seja como a mosca que bate contra o vidro da janela tentando sair, repetindo padrão e resultado.

A mosca, às vezes, vem com mais força e bate com mais força. Ela não mudou o enfoque dela. Os resultados são os mesmos.

Feita essa observação, parta para a ecologia dos seus objetivos.

Se você tomou as mesmas atitudes e teve os mesmos resultados, é preciso criar a ecologia das coisas antes.

Como? Pesquise, organize, pergunte às pessoas envolvidas com você o que elas acham.

Vamos lá, não tenha medo.

_____

_____

_____

_____

_____

_____

_____

_____

_____

_____

_____

_____

_____

_____

_____

_____

_____

_____

_____

_____

_____

_____

_____

_____

Cada oportunidade que você busca está escondida no caminho da ação!

66 *Nem tudo na vida*
SÃO PERDAS,
ALGUMAS COISAS SÃO LIVRAMENTOS;
você só não sabe disso
> **AINDA** < 99

Que download você fez deste capítulo?

Capítulo 7

O QUE MUDA A PROSPERIDADE

de alguém

"Uma jornada de mil milhas começa com um simples passo."

Lao Tzu

O que muda a prosperidade de alguém? Você já se perguntou isso?

Pode parecer uma pergunta boba, mas eu a fiz durante longos anos.

Quando eu era muito pobre, olhava as pessoas que eu considerava prósperas e me questionava por que elas tinham aquilo e outras, não.

Para as pessoas que estavam à minha volta, eu perguntava a mesma coisa – acho que ainda era bem pequeno, mas me lembro da resposta: "Porque Deus quis assim."

E logo vinha a segunda pergunta "Mas por que Deus escolheu uns para ter muito e outros para não terem nada?"

Acho que não foi fácil ter o William Sanches como filho, sobrinho, neto... eram muitas perguntas.

Éramos extremamente pobres e não tínhamos televisão, então as informações que eu podia captar eram sempre as que me forneciam, ou seja, aquilo que os adultos acreditavam – suas crenças pessoais – e me passavam como verdades absolutas.

Não fico bravo por isso, afinal, era o que eles tinham a oferecer.

Todos temos um pensamento governante criado por várias crenças que criam um paradigma.

Isso prova que a vida não é ruim, ela só está lhe dando mais do mesmo.

É simples assim! A vida lhe dá mais daquilo que ela consegue magnetizar.

Dinheiro e suas forças interiores são exatamente a ligação para que você possa despertar sua vitória, ir em frente, trazer um conforto para sua família, mas a grande parte das pessoas mantém a mente delas com pensamento governante na escassez.

Preste atenção na imagem a seguir:

Você viu primeiro um vaso ou duas pessoas se olhando?

Perceba que, depois de olhar novamente, você vê outra coisa.

Ou seja, quando muda seu foco, você vê coisas distintas.

É preciso escolher para onde olhar.

Esse é o famoso Vaso de Rubin, uma ilusão de óptica desenvolvida pelo psicólogo dinamarquês Edgar Rubin.

A ilusão apresenta ao observador uma escolha mental entre duas interpretações válidas: a silhueta de um vaso ou do perfil de duas faces humanas.

Normalmente, o observador percebe apenas uma delas e somente após algum tempo acaba captando a segunda.

Edgar John Rubin foi professor de Psicologia Experimental e diretor do laboratório de psicologia na Universidade de Copenhague.

Ele é conhecido principalmente por sua pesquisa pioneira sobre organização da figura-fundo na percepção visual, famosamente ilustrada no Vaso, que ele apresentou pela primeira vez em sua tese de doutorado em 1915.

Essa é uma das ilusões de ótica mais famosas e uma das imagens mais associadas à Gestalt.

A Psicologia da Gestalt enfatiza que a mente tende a perceber o todo e padrões unificados em vez de pedaços que compõem essas totalidades e padrões. Por exemplo: quando assistimos a um filme, percebemos as imagens em movimento como um evento significativo, não como uma sucessão de várias fotos estáticas.

Seus princípios de percepção visual descrevem como nós organizamos partes visuais em um todo, por exemplo, como nós mentalmente separamos o primeiro plano e o fundo de uma imagem.

E na imagem a seguir?

Você vê uma maçã mordida ou duas pessoas se olhando?

Volto agora à primeira pergunta deste capítulo: o que muda a prosperidade de alguém? Perceba que existem formas de olhar. Você acha que aquela pessoa que só vê a falta vai conseguir ver prosperidade em alguma coisa? Ou a pessoa que sempre arruma briga e defeito em tudo, você acha mesmo que ela consegue parar para ter ideias criativas e rentáveis?

Outro aspecto a ser observado é a questão da clareza dos seus objetivos.

Sei que você está com olhos mais educados até aqui e já percebeu que a Lei da Atração precisa de clareza nos pedidos.

Quando você olha a imagem e vê os rostos e depois foca no vaso e vê outra coisa, é seu foco, sua clareza, sua objetividade agindo.

Imagine que a Lei da Atração precisa disso: clareza no seu olhar, objetividade, foco!

Até aqui estudamos muito sobre clareza, sobre a importância de saber aonde você quer chegar, de conhecer seus sonhos e traçar objetivos e metas.

Todo esse exercício de clareza é para te ajudar a ter mais foco nas suas escolhas e projetos.

Tudo isso é o seu propósito. É aquilo que faz você sair do seu estado atual para o estado desejado, tudo o que você vai conseguir ser, fazer ou ter quando chegar lá.

Com a clareza, que é o primeiro passo para acelerar a Lei da Atração e cocriar a sua realidade, você começa a criar novos hábitos, que são o que de fato muda a sua realidade, tornando-a muito mais próspera e abundante.

Porém, como já vimos quando falamos de paradigmas e pensamento, existem inúmeros sabotadores que te atrapalham e te fazem permanecer no seu estado atual. Às vezes, você até consegue dar alguns passos adiante, mas acaba voltando. Afinal, é muito mais cômodo ficar onde estamos, não é mesmo?

Sabe por que isso acontece? Porque a sua situação atual, a realidade que você já criou com os seus paradigmas, é uma força, e a realidade nova, o ponto para onde você quer ir, é outra força completamente diferente e oposta.

Vamos chamar de ponto A e ponto B.

O seu propósito é a força que te move para o ponto B. E os paradigmas são as forças que tentam te manter no ponto A.

Muitas coisas podem te sabotar, fazendo com que você fique parado onde está. O nosso cérebro, para poupar energia, tem a tendência de manter sempre os mesmos hábitos, porque isso é muito mais fácil, muito mais vantajoso para ele. Tudo conspira para que você fique sempre no mesmo estado. **Afinal, não mudar não dá trabalho, não é?**

Então, se são duas forças opostas, qual é a força que vence?

Aquela que você alimentar. Aquela para a qual você der combustível. E o combustível da sua mudança é o foco. Portanto, perder o foco é perder a construção de uma nova realidade.

E sabe o que é incrível? Nós perdemos o foco muito rapidamente.

Agora mesmo, você se determinou a ler este livro e acelerar em até cinco vezes a Lei da Atração em sua vida, mas nesse processo, várias coisas tiram seu foco.

Entra a notificação de uma mensagem no WhatsApp, aí você pega o celular, já se distrai, entra no Instagram, vê um vídeo engraçado no YouTube, depois esse vídeo te leva para outro e, quando você se dá conta, já perdeu um tempão e todo o seu foco.

Por isso, a partir de agora, quero que você comece a trabalhar no seu foco.

E não adianta querer fazer um milhão de coisas ao mesmo tempo, ter múltiplos focos, múltiplos pontos de atenção, porque assim você acaba não fazendo nada direito.

Acredite, eu sei do que estou falando – porque já fui assim.

Antigamente, eu atendia em consultório, dava aula na faculdade, fazia programa de rádio... aí eu queria fazer os cursos on-line, mas eles não ficavam tão bons porque eu dedicava minha energia a muitas coisas ao mesmo tempo.

O que acontecia era que eu não dava foco a nada, e nada crescia.

A minha vida mudou completamente quando decidi focar nos cursos on-line. Eu fechei o consultório e parei de fazer programa de televisão vespertino.

"Aquilo em que você COLOCA O FOCO se amplia"

Decidi colocar foco no meu projeto on-line e o resultado disso é que hoje tenho milhares de alunos.

Se hoje meus cursos são transformadores, é porque escolhi dar foco neles.

E o que aconteceu quando fiz isso? Isso cresceu. Eu saí de uma equipe de uma pessoa para, até o momento em que escrevo este livro, um time de 20 pessoas trabalhando direta ou indiretamente para levar essa mensagem ao mundo.

Entenda: quanto mais foco colocamos em alguma coisa, mais isso cresce.

É por isso que não podemos ter múltiplos focos, senão ficamos como o pato, que anda, nada e voa, mas não faz nada direito. É preferível que você faça uma coisa, mas que faça isso muito bem-feito e seja especialista no que se propôs a fazer.

> **" Se você quer ser extraordinário em algo, • precisa focar • o que deseja "**

A ideia de prosperidade vem enraizada e tem uma relação direta com os conceitos de abundância e riqueza.

É visível que as pessoas prósperas têm um crescimento financeiro como uma das consequências, mas vão muito além do simples fato de ter dinheiro na carteira para poderem atender suas vontades e necessidades.

Quando falamos em abundância, nos referimos a todos os recursos aos quais temos acesso através do dinheiro, mas também estamos dizendo que temos saúde, paz espiritual, um relacionamento que nos ensina e nos respeita, um propósito de vida, felicidade nas realizações, prazer no que se faz etc. Esse último é primordial, pois é ele que dá sentido à abundância. Sem prazer no que se faz, é impossível caprichar. E onde não se capricha, não se prospera.

Outro ponto importante é o momento em que descobrimos nosso propósito, que é quando nos damos conta de que nossa existência tem muito mais importância e significado do que imaginamos.

É um gás a mais. Se neste momento você ainda não sabe seu propósito na Terra, tenha calma, continue seus estudos aqui, pois isso vai te auxiliar a descobrir seu papel.

Vivemos para construir nosso legado e, por isso, a abundância flui como rio que, mesmo quando encontra pedras no caminho, arruma sempre uma forma de passar, de maneira ilimitada e infinita. É essencial perceber que a abundância rege o Universo, nos mostra que ele possui recursos suficientes para suprir todas as necessidades humanas.

Aquele papo de crise ou de escassez no mundo é crença limitante de quem implantou essa ideia. Não acredite nisso!

Sendo assim, podemos considerar o mundo um lugar abundante, onde há oferta de generosidade, amor, felicidade, coisas materiais e prosperidade para cada ser existente.

> "
> A Lei da Atração já está funcionando, você não precisa fazer nada quanto a isso. A única coisa que você precisa fazer é estar alinhado com a prosperidade, para que a Lei da Atração, que está fluindo na sua vida e regendo a sua história, possa funcionar de forma acelerada, trazendo e materializando na sua vida exatamente o que você quer.

Pergunte-se: o que eu posso fazer para ter mais foco? O que posso fazer no meu dia para estar mais alinhado com a prosperidade?

> **"**
>
> Algumas pessoas acreditam que a riqueza só estará se manifestando quando vier um iate ou uma nave espacial. Entretanto, a riqueza é um campo de energia, é uma vibração constante, é um estado de ser. E tudo isso você vai conquistando antes mesmo do material chegar às suas mãos. Sentir-se bem é o que realmente importa, pois é o seu ponto de atração que muda tudo. Sem isso, nada faz sentido. Não há sentido se você não valorizar as suas conquistas.
>
> **Bruno Gimenes, _Seja rico: checklist para elevar seu nível financeiro_**

Se você sabe que ler este livro com o celular do lado vai desviar sua atenção, precisa desligar o aparelho durante o tempo que reservou para leitura.

Às vezes é um amigo que liga ou alguém da sua casa que quer conversar, e quando você vai ver, já se distraiu.

Viu uma mensagem no WhatsApp, conversou um pouquinho com uma amiga, falou com a mãe ou com a equipe... quando se dá conta, já se passaram duas horas e você não fez o que tinha decidido fazer.

Antes de perguntar sobre os downloads que você fez neste capítulo, tenho mais uma pergunta: o que dá para fazer melhor?

Você viu que, dependendo da maneira como a gente olha a vida, vemos coisas diferentes. Então, quando te pergunto o que dá para fazer melhor, me refiro ao seu jeito de olhar. Talvez você estivesse olhando o lado negativo da vida e agora pode começar a olhar o positivo.

Escolha pelo menos uma coisa e escreva: o que dá para fazer melhor?

_____

_____

_____

_____

_____

_____

_____

_____

_____

Que download você fez deste capítulo?

_____

_____

_____

_____

_____

_____

_____

_____

_____

_____

_____

_____

_____

_____

_____

_____

_____

Capítulo 8

7 PASSOS PODEROSOS

para manter o foco

"Não é o mais forte que sobrevive,
nem o mais inteligente. Quem sobrevive
é o mais disposto à mudança."

Charles Darwin

Vou te ajudar a conduzir sua mente para novos hábitos.

Os velhos hábitos já existem e está tudo bem. Eles te trouxeram até aqui, mas se agora você quer mesmo se programar para uma vida nova e cheia de novas realizações, precisa escolher novos hábitos.

Para manter o foco, é preciso implantar algumas coisas que, no início, podem parecer simples, mas em médio prazo você verá seus resultados em tudo que estiver produzindo – e seu dia será diferente.

O que define seu mundo externo é a forma como conduz seu mundo interno. Veja o que se adapta a você, e então siga minhas dicas ou as adapte do seu jeito.

1º PASSO

DEFINA, POR ESCRITO, SUAS METAS PARA O DIA

Quantas vezes você fez centenas de coisas, trabalhou o dia inteiro, chegou ao final do dia cansado e ainda assim teve a sensação de que fez pouco ou quase nada? Definir as suas metas por escrito vai ajudar muito a combater essa sensação.

Pegue seu caderno ou agenda diária e defina quais são as metas para o seu dia. À medida que for executando cada uma delas, vá riscando e sentindo gratidão pela tarefa concluída. Você vai treinar a sua mente para reconhecer as pequenas vitórias.

2º PASSO

DIVIDA CADA ATIVIDADE EM PEQUENAS TAREFAS

Uma grande atividade nada mais é do que um conjunto de pequenas tarefas. Costumo dizer que uma grande vitória é feita de pequenas vitórias, de microvitórias – e mais do que isso: de valorizar cada uma delas.

> "
> Quando nossos resultados ficam aquém das expectativas, o crítico dentro de nós encontra uma abertura e entra em cena. Muitos de nós acreditam que, se não conseguirmos ser mais produtivos, perder peso ou fazer exercícios regularmente, é porque deve haver algo de errado conosco. Se ao menos tivéssemos seguido tal programa à risca ou tivéssemos cumprido tais promessas, teríamos conseguido. Nós só precisamos nos organizar, nos esforçar o suficiente e agir melhor, certo?
>
> **BJ Fogg, *Micro-hábitos: pequenas mudanças que mudam tudo***

Quando você olha uma escada e pensa que precisa chegar lá em cima, imediatamente entende que tem que subir um degrau de cada vez, não é? Cada degrau é importante para te levar ao último.

Com os seus objetivos é a mesma coisa.

Cada meta, cada pequena tarefa que você cumpre te leva para um degrau mais perto do seu objetivo.

Não se preocupe com o todo. Deixe que a Lei da Atração cuide disso. Apenas olhe para o degrau em que você está agora e pense no próximo que vai subir.

3º PASSO

DESCUBRA QUAIS SÃO OS SEUS MOMENTOS DE ALTO NÍVEL DE DESEMPENHO

É crucial você se conhecer e saber em que momento é mais produtivo e tem um desempenho melhor.

Eu, por exemplo, vou de manhã para o escritório.

Acordo, tomo meu café, faço meu alongamento, minhas orações e tudo o que tenho que fazer em casa antes de sair.

Quando chego ao escritório, uso a manhã para produzir as aulas e gravar, porque sei que à noite quero fazer outras coisas, como ir para a academia, ir a algum evento ou simplesmente ficar no meu apartamento e descansar.

Ou seja, eu sei a hora do dia em que tenho meus picos de produtividade e concentro minhas tarefas mais importantes ali.

Assim não me sacrifico querendo produzir alguma coisa à noite, depois de um dia bem desgastante.

Você se conhece melhor do que ninguém.

Não adianta eu te passar uma receitinha se quem conhece suas particularidades é você mesmo, e mais ninguém.

Respeite-se e saiba se colocar.

Se alguém exigir algo diferente, e você perceber que não está rendendo como deveria, abra o jogo.

A comunicação é importante.

O que você não pode fazer é deixar de ser você mesmo.

4º PASSO

ADOTE O HÁBITO DA PLAQUINHA DE NÃO PERTURBE

Não sei se você já viveu isso, mas algumas pessoas não respeitam nosso tempo e nosso espaço de estudo ou trabalho. Acham bobagem ou tempo perdido.

Você pode estar no seu canto, concentrado, lendo este livro, e chega alguém querendo puxar conversa. Se você diz que não pode conversar nesse momento, a pessoa pode ficar chateada, pensando "mas você não está fazendo nada, por que não me dá atenção?".

No entanto, você sabe o quanto esse tempo é significativo e transformador.

Então, o que você precisa fazer é educar as pessoas que estão à sua volta, informando que aquele momento é importante para você. Pode ser qualquer momento: seu trabalho, seu estudo, sua meditação, seu exercício, a hora em que você prepara sua comida. Aprenda a se priorizar e a mostrar para os outros que o seu tempo também é precioso.

Quando a gente se respeita, o mundo nos respeita.

5º PASSO

FUJA DAS DISTRAÇÕES, ELAS SÃO TRAIÇOEIRAS

Eliminar as distrações é um ótimo meio de evitar que elas não fiquem te perturbando, para que você não caia em tentação e perca seu foco.

Se você está de dieta e não pode comer doces, não é uma boa ideia ter uma bombonière dentro de casa ou no escritório. Se precisa emagrecer, não vai deixar na sua frente uma taça gigante cheia de chocolates. Parece óbvio, mas não é. Nossa mente está cheia de impulsos o tempo todo!

Elimine tudo o que pode tirar seu foco e afastar você do seu caminho. Eu, por exemplo, enquanto escrevo, deixo meu celular longe e em modo avião, assim, corro menos risco de ele tocar ou eu querer verificar as redes sociais.

Criar hábitos novos e mudanças positivas não é complicado.

Se você quer melhorar sua leitura, por exemplo, se percebe que precisa ler mais, deixe os livros ao seu alcance – no criado-mudo, na sua mesa de trabalho, na bolsa.

Procure pegar mais em livro do que em celular para olhar as redes sociais, que são programadas para nos prender lá.

6º PASSO

CRIE UM AMBIENTE ADEQUADO

Imagine que você precisa estudar para uma prova.

O ambiente será seu aliado ou seu inimigo. Arrume sua mesa, coloque seus livros, seu caderno, o computador, uma luminária e o que mais você precisar – mas só o que você vai precisar.

Crie um ambiente gostoso. Eu, por exemplo, não fico sem incenso na minha sala de estudo. É algo que eu gosto, que me dá paz e ajuda na concentração.

Quando você cria um ambiente adequado, é como se dissesse para o seu corpo e para sua mente (assim como para as pessoas à sua volta) que você está estudando e que aquele momento é importante.

Então, crie o ambiente propício para que as coisas possam acontecer. Não adianta sentar para estudar com o prato de comida no colo, a televisão ligada e o controle remoto na mão.

Quando a sua mente recebe excesso de informações, ela desfoca ou gasta muita energia desnecessariamente.

7º PASSO

AGRADEÇA!

A gratidão vai enriquecer tudo o que você estiver fazendo.

A gratidão vai te conectar com a energia abundante do planeta.

A gratidão vai te unir às pessoas que vibram essa energia.

A gratidão vai te deixar mais rico.

Quando agradecemos de coração, estamos vibrando no amor.

E esse poder é incrível.

Por outro lado, se você termina uma tarefa e suspira "Graças a Deus isso acabou", você está reclamando inconscientemente, assim, as coisas não chegam bem ao Universo, porque as tarefas se tornam um fardo e não uma bênção.

Mas acontece que as suas tarefas cumpridas são bênçãos.

Primeiro porque você as tinha para fazer, e segundo porque você estava saudável ao executá-las.

O fato é que, quando você conclui algo e agradece por ter concluído, registra na sua mente que aquilo foi um prazer!

" Que bom que isso foi feito!"

Vamos estudar mais sobre gratidão daqui a pouco.

Por enquanto, procure sentir e reconhecer as coisas boas que acontecem na sua vida, sobretudo aquelas que você mesmo produz.

Não quero te jogar nada na cara, mas quando você conhece o poder e não faz uso dele, é conivente com todas as suas dores

Que download você fez deste capítulo?

Capítulo 9

CONSTRUÇÃO

de comportamento

"Sucesso é o desenvolvimento de poder
para obter o que se quer da vida,
sem interferir nos direitos dos outros."

Napoleon Hill, *A Lei do Triunfo*

Pode parecer estranho para você um capítulo intitulado "Construção de Comportamento", mas você vai entender o que quero realmente dizer.

Primeiro, você precisa compreender que o motivo que te faz querer alguma coisa é o fato de você achar que será feliz e se sentirá bem quando obtiver aquilo.

É a sensação de bem-estar que te move até lá. No fundo, não é a coisa em si, mas o desejo de tê-la.

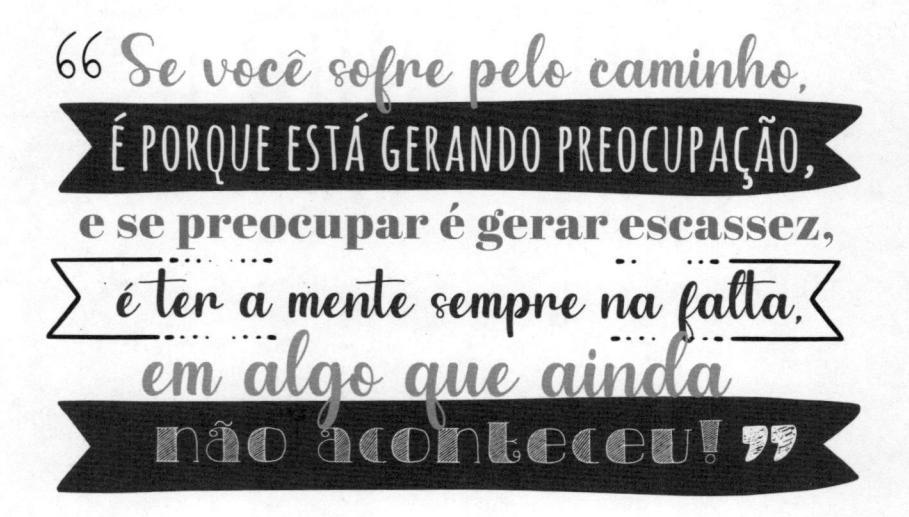

> 66 Se você sofre pelo caminho, É PORQUE ESTÁ GERANDO PREOCUPAÇÃO, e se preocupar é gerar escassez, é ter a mente sempre na falta, em algo que ainda não aconteceu! 99

Ao longo deste estudo, você está desenvolvendo habilidades de construção de comportamento em direção ao que deseja e sonha, certo?

O que vou te dizer agora pode parecer estranho e até um pouco incômodo, mas, para que uma nova realidade se manifeste em sua vida, com novas situações e novas pessoas, pode ser preciso renunciar a situações e pessoas que já estavam lá antes.

Nossa realidade é feita de maneira harmônica: se coisas novas entram, outras saem. São ciclos que se encerram. Se permanecemos tempo demais em ciclos que já deveriam ter se encerrado, desperdiçamos energia e atrapalhamos a cocriação de uma nova realidade.

Então, sempre que você ganha, você também perde. É uma seleção que deve ser natural, porque se trata de um ajuste energético.

"Como assim, William? Eu não quero perder nada. Eu vim para essa vida para ganhar."

Eu sei que você pensa assim, mas realmente vai precisar abrir mão de muitas coisas ao longo da vida.

E isso acontece naturalmente.

De repente, você se dá conta de que ganhou novos amigos, mas que, por outro lado, tem outros amigos saindo da sua vida.

Você se aproxima de um grupo e acaba se afastando de outro.

Não que você saia brigado nem nada disso. Simplesmente os caminhos se descruzam e vão viver histórias diferentes, porque as energias já não combinam mais. Algumas coisas que faziam muito sentido em sua vida hoje já não fazem mais.

Como você está no processo de criação de uma nova realidade, tenho que te contar que existem as perdas e os ganhos e, para todas as escolhas que você fizer na vida, para cada objetivo que definir, será necessário mensurar esses dois lados.

Neste capítulo, vou te ajudar a construir um novo comportamento.

Ser próspero requer novas habilidades, e uma delas é ser inteligente em suas escolhas.

Se você dividir uma folha simples ao meio, terá quatro quadrados, quatro campos importantes que vou explicar com calma logo a seguir:

Essa folha simples vai te ajudar em todas as decisões e escolhas a partir de agora.

No primeiro retângulo da folha, você vai escrever:

" O que eu ganharei se alcançar meu objetivo?"

Pode escrever com detalhes. Lembre-se: o Universo quer pormenores.

Vamos supor que meu objetivo seja dirigir, ter meu próprio carro. Quais são os ganhos que vou ter com isso?

Vou ganhar um carro, vou ganhar liberdade de ir e vir quando quiser, não vou mais precisar depender de carona ou de transporte público etc.

Vamos ver outro exemplo: *"Eu quero ser mãe."* O que você ganha sendo mãe? Ah, eu vou ter uma criança, vai ser maravilhoso, ela vai iluminar meus dias, vamos formar uma família, vamos poder brincar, os fins de semana serão lindos etc.

Enfim, escreva todos os benefícios que você irá experimentar quando alcançar esse objetivo.

Agora, vamos passar para o segundo retângulo, o segundo espaço que você formou aí na sua folha. Nesse espaço você vai escrever:

" O que eu perderei se alcançar o meu objetivo?"

De quais prazeres ou privilégios você vai ter que abrir mão? Por exemplo, se eu quero dirigir e ter um carro, mas estou paquerando um colega de trabalho que sempre pega o metrô comigo, vou perder isso.

Pode ser que perca tempo também, porque o metrô é rápido e, com o carro, ficarei parado no trânsito.

Se sair com os amigos e estiver de carro, não poderei tomar uma cerveja ou um drinque com eles. Esse é o momento de você listar todas as coisas boas que tem hoje e que vai perder se o seu objetivo se concretizar.

Passando para o exemplo do filho, por um tempo você ficará sem dormir a noite toda, terá que levantar de madrugada para trocar fralda e amamentar, não poderá viajar e sair como antes porque agora será responsável por uma criança.

É muito importante que você esteja aberto para listar, sem medo, todas as coisas de que gosta e das quais terá que abrir mão pelo seu objetivo.

Não é fácil, porque tendemos a nos apaixonar pelo objetivo, mas é preciso pensar nisso, já que é isso que vai te dizer se esse objetivo é ecológico para você. Tudo o que você listou aqui são os seus sabotadores de dor. São as dores que você vai querer evitar e que podem levá-lo a se autossabotar.

Muito bem, agora vamos para o terceiro retângulo.

Nesse espaço, você vai escrever:

"O que eu ganho se eu não alcançar meu objetivo?"

Tente pensar qual é a melhor coisa que poderia acontecer se você não fosse atrás do que quer. *"Mas, William, não conseguir o que eu quero é ruim, não?"* Não necessariamente.

Se você não comprar o carro, pode ser que o colega com quem você pega o metrô te convide para sair.

Quem sabe vocês começam a namorar? Isso seria uma coisa boa, não é?

E se você não tiver um filho? Vai poder dormir a noite toda sem se preocupar. Talvez sobre dinheiro para viajar mais, ter mais liberdade.

Todas essas coisas são os seus sabotadores de prazer.

São os ganhos escondidos, que também podem levar ao autoboicote.

Veja como é interessante estudar a Lei da Atração e os nossos objetivos, que muitas vezes não estão tão claros assim e podem sofrer influência de forças ocultas.

Agora, no quarto espaço, você vai responder:

"Qual é a pior coisa que pode acontecer se eu não alcançar meu objetivo?"

Esses são os seus motivadores de dor. São as dores que você quer evitar. Aqui, você terá que acessar uma camada mais profunda para identificar qual é a dor e a frustração que poderá enfrentar.

Você vai se sentir frustrado?

As pessoas vão te julgar?

Essas são as quatro perguntas que você deve responder para analisar o que ganha e o que perde.

Por exemplo, pode ser que você queira ser empreendedor e esteja olhando apenas para os ganhos: vou ter liberdade, vou fazer o meu horário, não vou ter chefe, vou mandar no meu funcionário, vou poder viajar...

Só que não é sempre assim.

Tem o outro lado do empreendedorismo.

Você vai pagar impostos, não vai ter férias remuneradas nem 13º salário, não terá registro em carteira.

Ou seja, tudo tem perdas e ganhos.

Com frequência, colocamos nossos sonhos, desejos e objetivos, mas eles não estão funcionando de maneira ecológica e harmônica porque não olhamos, não percebemos o que vamos perder nem as coisas negativas que vamos ganhar.

Para que o seu objetivo seja ecológico para você, é preciso entender do que você precisa abrir mão e estar disposto a isso.

Outro motivo extremamente importante para você fazer com cuidado e atenção esse exercício de perdas e ganhos é que só assim poderá minimizar as possíveis perdas.

Por exemplo, vamos supor que você queira empreender, mas não queira trabalhar 14 horas por dia.

Se você souber antes toda a demanda que empreender envolve, pode se preparar para isso – talvez contratando alguém para cuidar de algumas tarefas, como um coordenador ou gerente.

Ou, se você quer ser mãe, mas não quer perder todo o tempo disponível para si mesma hoje, deve poder contar com o pai, mas também pode ativar sua rede de apoio, como avós, tias, madrinhas e até com uma babá.

Você pode recriar essa página da forma que preferir para sempre aplicar essa técnica quando sentir necessidade.

Faça sem preguiça ou pressa, porque é da sua vida que estamos falando, e chegar ao objetivo para descobrir que não era o que você queria é muito ruim, é frustrante.

Eu aplico essa técnica em tudo.

Recentemente eu me mudei para uma casa de praia, linda, de frente para o mar em um local bem retirado. Eu precisei aplicar as perdas e ganhos.

No primeiro momento eu poderia achar *o* máximo morar de frente pro mar, não há nada de errado nisso.

Engano! Sempre ganhamos e perdemos.

Eu perdi, por exemplo, a comodidade de ter supermercado ou farmácia perto, visto que o estabelecimento mais próximo fica a quase uma hora de carro da casa.

A casa fica no meio de uma mata, não tenho vizinhos, então precisei contratar um caseiro para cuidar de tudo.

Para quem morava em São Paulo com tudo em mãos 24 horas por dia, viver sem aplicativo para pedir comida me fez cozinhar mais, e assim por diante.

Veja: em uma mudança, eu precisei criar vários novos hábitos.

Ganhei bastante coisa: ar puro, mar, praia, calor, liberdade, silêncio, espaço, contato com a natureza, tranquilidade, beleza.

Mas por outro lado tive perdas significativas de outras coisas às quais estava acostumado.

Também é importante lembrar que, antes de fazer essa mudança de vida, precisei aplicar a ecologia aos desejos, considerando todos os impactos disso sobre minha rotina.

Portanto, o que estamos fazendo nesta seção é aplicar uma técnica somada a outra que já aprendemos.

A Lei da Atração Acelerada é um método particular, por isso, estudar com calma e aplicar esse passo a passo que estou ensinando aqui não vai te fazer perder tempo, muito pelo contrário.

Vai te ajudar a planejar melhor cada fase.

Dentro desse processo, você irá desenvolver o que chamo de habilidade de mudança.

O que muitas pessoas temem – mudar – será para você só mais uma etapa, pois estará consciente daquilo que está construindo.

Você vai perceber que essa técnica irá se tornar uma habilidade em sua vida.

Toda vez que precisar fazer uma escolha ou mudança, você terá essa habilidade de olhar os quatro campos e perceber, como em um mapa, qual é o melhor caminho a seguir, com a consciência ativa de que nada daquilo que ficou para trás foram perdas, mas coisas que agora não fazem mais sentido para você.

Vou disponibilizar aqui uma página só para você aplicar perdas e ganhos, assim terá sempre em mãos essa técnica.

Aplique em cada desejo que tiver!

O que você ganha se obtiver isso?	**O que você perde se obtiver isso?**
(motivadores – prazer)	(sabotadores – dor)
O que você ganha se NÃO obtiver isso?	**O que você perde se NÃO obtiver isso?**
(sabotadores – prazer)	(motivadores – dor)

CONSTRUÇÃO DE COMPORTAMENTO

HABILIDADE DE MUDANÇA 1

Hábito de gerar espaço: doando, liberando o que não usa e compreendendo que é preciso abrir mão de algumas coisas no processo de cocriação.

HABILIDADE DE MUDANÇA 2

Compreendendo que cada escolha é utilizar a Lei da Atração Consciente, sabendo que as escolhas são decisões importantes nos resultados futuros. Ao tomar uma decisão, abre-se mão daquilo que não cabe mais em nossas vidas.

FOI DOLORIDA PARA VOCÊ ESSA PARTE DO PROCESSO? SE SIM, O QUE VOCÊ PODE FAZER PARA AMENIZAR SUAS PERDAS?

_____

_____

_____

_____

_____

Que download você fez deste capítulo?

Capítulo 10

PENSAMENTO
de gênio

"Você tem dentro de si todo poder de que precisa para conseguir tudo o que quiser e precisar neste mundo, e a melhor maneira de aproveitar esse poder é acreditar em si."

Napoleon Hill, *As Leis do Triunfo e do Sucesso*

Jamais esqueça que toda oportunidade do mundo está escondida no caminho da ação. Não basta ler este livro – pratique as habilidades de mudança para acelerar a Lei da Atração e ter em mãos os seus sonhos. Isso é necessário para executar o planejado e realizar o imaginado, senão o resultado não virá.

Sabemos que nem sempre é fácil. Sair da zona de conforto exige a eliminação das crenças limitantes, bastante foco, perseverança e desejo ardente.

Neste capítulo, quero compartilhar com você algo curioso que me ocorreu no caminho do estudo sobre a Lei da Atração: como será que pensam os gênios?

COMO PENSAVA EINSTEIN?

Poucos nomes são sinônimos de genialidade. Ser chamado de Einstein é normalmente uma analogia para se referir a alguém extremamente inteligente.

O físico alemão é principalmente conhecido por sua teoria da relatividade geral e por sua fórmula de equivalência massa-energia $E = mc^2$. De família judia, Einstein morou nos Estados Unidos quando o partido nazista tomou o poder durante a Segunda Guerra Mundial. Ele foi um dos maiores críticos da fissão nuclear como arma de guerra.

COMO PENSAVA GOETHE?

Considerado um dos mais importantes autores do mundo, o QI de Goethe é estimado entre 210 e 225. Einstein certa vez disse que o escritor alemão foi "o último homem do mundo que sabia de tudo". Goethe escreveu romances, peças de teatro, poemas e reflexões teóricas. Suas obras mais conhecidas foram *Os Sofrimentos do Jovem Werther* e *Fausto*.

COMO PENSAVA LEONARDO DA VINCI?

Se Leonardo da Vinci fosse preencher seu currículo no LinkedIn, provavelmente levaria um bom tempo, já que foi pintor, escultor, arquiteto, músico, matemático, engenheiro, inventor, anatomista, geólogo, cartógrafo, botânico e escritor. Ou seja, ele era um gênio multifacetado, que foi reconhecido especialmente por seus trabalhos enquanto pintor, mas que contribuiu para diversas invenções que influenciaram outros artistas e pensadores que viriam após o seu legado. Para termos uma ideia, entre suas invenções está o paraquedas. Como ele fez para inventar isso? Ele teve que pensar no que queria (objetivo) para depois começar a executar as etapas (planejamento, pesquisa, ação...).

O fato é: um gênio pensa de trás para frente!

É isso mesmo!

E neste capítulo você vai aprender a pensar exatamente assim em relação aos seus objetivos.

Vou te ajudar a criar uma linha do tempo para enxergar cada passo da realização do seu sonho, pensando de lá (seu objetivo) para cá (seu dia de hoje).

O objetivo é composto de várias metas, e ter clareza sobre cada uma delas e sobre quando você vai realizá-las é um verdadeiro pensamento de gênio.

Eu já sei o que faço hoje, mas será que isso está correto para que eu alcance meu objetivo?

Isso está me levando para mais perto do meu sonho?

Também vou te ensinar a desenhar um mapa para você ter sempre em mãos, com toda clareza, tudo o que precisa fazer, cronologicamente, para ir ao encontro do seu sonho.

Lembre-se: não é preciso conhecer o percurso todo; mas saber aonde você quer chegar, além de ter alguns pontos definidos, vai fazer a Lei da Atração acelerar em sua vida!

Vamos pegar o exemplo de alguém que deseja se casar. O dia do casamento é o grande objetivo.

O que essa pessoa vai fazer no dia anterior? Ela pode relaxar num spa, visitar o local da festa com o organizador para verificar se todos os detalhes estão certos, ou então pegar a roupa, o terno ou o vestido. O que ela vai fazer uma semana antes? E um mês antes? Três meses antes, os noivos precisam enviar os convites. Um ano antes é bom reservar o local da cerimônia e da festa, para garantir a data. Mas e antes disso? É preciso ter um noivo. Antes de noivar, precisa ter um namorado. E, para namorar, precisa conhecer alguém bacana. O importante é que, qualquer que seja o objetivo, a partir de agora, você vai pensar como um gênio. Vai criar uma linha do tempo que vai te ajudar a ver cada passo da realização do seu sonho.

Para tanto é preciso construir esse esquema com plena certeza. Se você fizer algo do tipo "*Vou ver se vai dar certo*", é melhor não fazer. Aplique as técnicas com a sua mente dominante agindo na certeza de que é isso mesmo que você quer.

Por exemplo, uma pessoa que quer abrir um salão de cabeleireiro precisa pensar de trás para frente.

Ou seja, é essencial visualizar o dia da inauguração e voltar até o dia de hoje, fazendo cada detalhe, cada etapa.

Você já aprendeu que a vida é feita dos pequenos detalhes, portanto, não menospreze nada. Até aquele detalhe que pode parecer minúsculo: comprar água, convidar as pessoas para a inauguração, garantir um estoque com tesouras, cartões de visita, organizar um site etc.

Tudo numa escala de trás para frente. Já que chamo isso de pensar como gênio, vou te fornecer o Mapa do Gênio.

Pegue sua principal meta em cada campo de sua vida e refaça os caminhos de lá para cá. De trás para a frente.

Veja a imagem ao lado preenchida por mim sobre o exemplo do salão de cabeleireiro: O ponto A é onde você está hoje. E o ponto B, lá do outro lado, é o seu objetivo.

Você não pode dar um salto e chegar lá. Você tem que ir caminhando, um passo de cada vez. Cada passo é uma meta diferente.

META REALIZADA

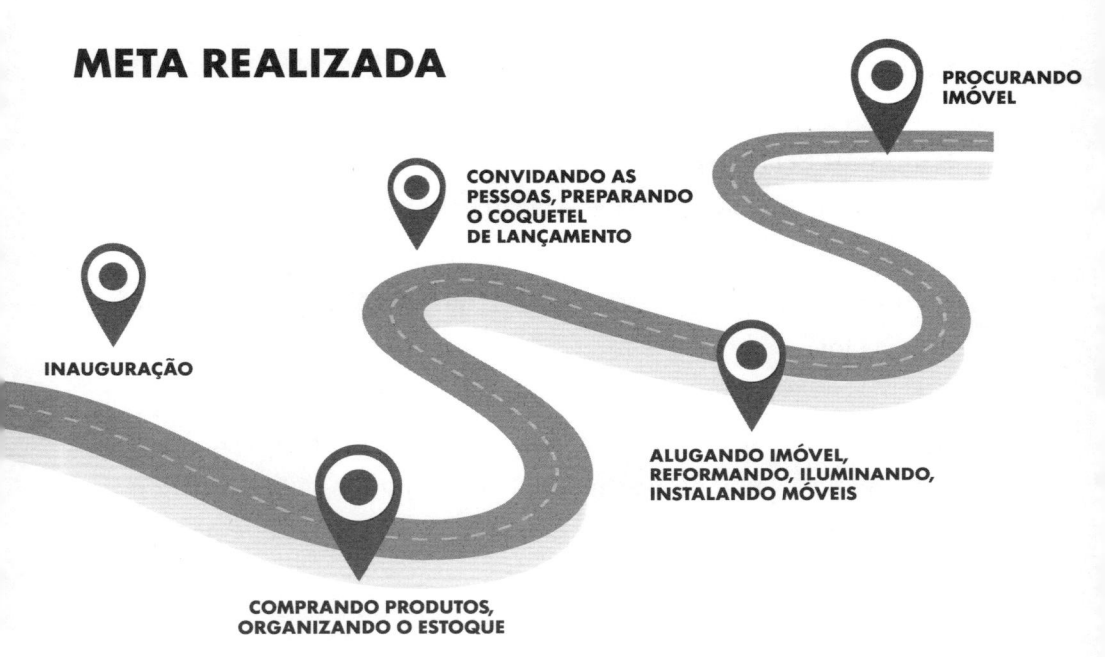

Agora anote este download: todo objetivo é composto de várias metas.

Agora, vou deixar um Mapa do Gênio em branco para você preencher com o seu principal objetivo. Siga esse mesmo esquema, e, se for aplicar essa técnica mais vezes, copie em um caderno ou tire cópias das páginas para ter sempre em mãos. Lembre-se de que cada etapa está acelerando a Lei da Atração em sua vida. Você está declarando, vivendo, agindo, sentindo, tudo isso em cada etapa que escreve.

Defina seu ponto B.

Você já fez a sua lista de sonhos e objetivos, então só precisa escolher um deles. Agora estabeleça de quanto tempo é essa linha. Quanto tempo vai levar para você percorrer o caminho do ponto A ao ponto B?

É um ano? Seis meses? Anote. Lembre-se de que neste momento você está acionando a Lei da Atração para realizar esse desejo.

A título de ilustração, vamos dizer que você queira abrir sua própria loja.

Após definir esse objetivo e o prazo para sua concretização, você vai caminhar voltando na sua linha do tempo, do ponto B para o ponto A, estabelecendo quais são as pequenas metas que precisa cumprir para alcançar seu objetivo.

Se o ponto B é a inauguração da loja, o que você tem que fazer uma semana antes? Convidar as pessoas.

E uma semana antes disso? Organizar e preparar a loja.

E antes disso? Comprar a mercadoria para o estoque.

E um mês antes? Talvez fazer uma pintura ou qualquer reforma rápida.

E três meses antes? Escolher o imóvel para alugar e montar a loja.

E antes disso? Ah, antes disso é agora, é o ponto A, quando é necessário fazer o planejamento financeiro, contratar alguém de finanças para te ajudar com isso etc.

Entendeu como funciona o processo?

Agora você vai fazer a mesma coisa com o seu objetivo real. Você vai olhar o seu ponto B e voltar na linha do tempo, ponto por ponto, até o ponto A.

Isso mesmo: de trás para frente.

Se o seu objetivo for muito distante, de muito longo prazo, você pode fazer saltos maiores de tempo entre as metas. Pode pensar de três em três meses, ou o que vai fazer a cada ano.

Quando terminar esse exercício, você terá em mãos um mapa, exatamente como um gênio faz. Se você não tiver tudo muito claro, não tem problema. Você pode ir ajustando o seu mapa enquanto for percorrendo o caminho.

Mas trace ao menos os pontos sobre os quais você já tem clareza e, no processo, mais coisas irão se iluminando.

É como fazer uma viagem. Você vai pegar a estrada e saber a sua cidade de destino. Também sabe alguns pontos pelos quais vai ter que passar, mas não conhece a estrada toda. E isso não é tão relevante.

Anote este download: **não é tão importante conhecer a estrada toda. Mais significativo é ter clareza de onde quer chegar, o que vai encontrar lá e em que direção deve seguir. No**

caminho, o GPS vai te mostrar quais são os próximos passos.

Além de útil e eficaz, essa atividade também é uma delícia de se fazer. Traçar metas, planos e sonhos é a coisa mais gostosa do mundo.

O melhor da festa é esperar por ela – não é o que dizem? Nesse caso, a festa acontece duas vezes! Essa é a forma como um gênio cocria uma realidade próspera e abençoada.

A partir de agora, você vai trabalhar a Lei da Atração de maneira clara e estratégica.

Como você já sabe, ela sempre funciona.

O problema é que, se você não sabe o que quer, não sabe o que atrai. Por outro lado, se você tem clareza, vai ver tudo o que deseja se materializar na sua vida.

Esse ainda é só o começo; se você fez tudo certinho até aqui, já deu grandes passos: já sabe exatamente o que quer, definiu objetivos e metas, sabe o que pode te motivar ou te sabotar e já traçou um plano de ação.

Tudo isso são coisas que você vai levar para a vida, pois funcionam para tudo que você fizer a partir de hoje.

Posso te garantir: você não é mais a mesma pessoa que começou a ler este livro.

Você vai procurar ter clareza em tudo que executar, desde uma pequena viagem até a construção de um grande projeto de vida, como um casamento ou o planejamento da sua família.

Só de fazer isso você já acelerou a Lei da Atração e já vai começar a ver os resultados.

Você vai perceber que as coisas vão se conectar e sua vida será mais próspera e abençoada.

Você vai se surpreender com o que vai acontecer, e o melhor ainda está por vir.

Que download você fez deste capítulo?

Capítulo 11

ASSINATURA ENERGÉTICA

"Você é um ímã vivo, você atrai para sua vida pessoas, situações e circunstâncias que estão em harmonia com seus pensamentos dominantes. Qualquer coisa em que você se concentre em nível consciente se manifesta em sua experiência."

Brian Tracy

Bem, agora que você já entendeu como a Lei da Atração funciona e já descobriu quais são os primeiros passos para fazer com que ela aja de forma objetiva na sua vida, chegou a hora de ir mais fundo e entender o que pode estar impedindo a aceleração da Lei da Atração para você.

Como já vimos, a Lei da Atração não é somente pensar, sentir, visualizar e acreditar.

Ela é muito mais do que isso.

Por isso vamos começar a tratar dos sentimentos que te impedem de acessar o futuro desejado.

Tudo que pensamos, automaticamente, sentimos e vibramos. Somos moléculas, átomos que vibram.

Além do corpo físico/material (ossos, tecidos, órgãos), temos também um corpo energético.

Quem faz exercícios físicos pratica a consciência corporal; quem estuda o desenvolvimento pessoal aprimora a consciência energética.

A partir do momento em que temos consciência do nosso corpo energético, criamos nossa assinatura energética, que se move com todos os nossos pensamentos repetidos.

A cada pensamento, mudamos nosso corpo físico.
Quando os pensamentos se tornam recorrentes, repetitivos, criamos

a assinatura energética consoante àquele pensamento. Existem pessoas tão pesadas, tão negativas, que mal podemos estar perto delas.

Elas criaram uma assinatura energética de negativismo e dor que repulsa quem está ao redor.

Todos nós temos uma assinatura energética com base naquilo que pensamos, sentimos e vibramos.

Lembra que a lei primária é a da Vibração, ou seja, da energia?

Pense em como sua energia tem se conectado a tudo o que você possui.

Sua assinatura energética é semelhante ao código de barras de um produto, que te conecta a todas as outras coisas que também têm a sua própria assinatura energética.

A casa onde você quer morar, o carro que você quer comprar, o parceiro que você deseja: cada um tem a sua assinatura energética.

Cada pensamento vibra, cada pensamento transmite um sinal, e cada pensamento atrai um sinal que combine com ele de volta.

Chamamos esse processo de Lei da Atração.

Portanto, para cocriar sua realidade, é preciso ter consciência da assinatura energética que você está produzindo e mantendo.

> **66 Cada ser humano possui uma assinatura ENERGÉTICA COMPATÍVEL COM AQUILO QUE pensa, sente e acredita 99**

Vou te contar algo muito poderoso: não importa a assinatura energética que você teve até aqui, porque agora você já tem consciência e não é mais omisso com sua vida.

A partir deste instante, você vai começar a trabalhar a cocriação de uma assinatura energética nova.

Tudo o que você quer e deseja já existe no planeta, e tudo o que é seu encontrará uma maneira de chegar até você!

Isso é poder!

Fotografia Kirlian

> **Você é um ímã humano atraindo tudo o que pensa, sente e vibra!**

Para começar, vamos falar sobre a fotografia Kirlian, que "enxerga" a energia das coisas e das pessoas. Ela nos mostra o campo vibracional de tudo. Talvez você esteja se perguntando *"Mas o que isso tem a ver com a Lei da Atração?"*

Absolutamente tudo!

Tudo o que você tem hoje chegou a você através da sua vibração: casa, carro, amizades, namoros, dinheiro, tudo!

Existem muitos futuros disponíveis e todos eles vibram em certa frequência.

Tudo tem vibração, e você usa a sua própria vibração para se conectar a qualquer coisa.

Ora, se tudo tem vibração, então é a minha vibração que se conecta com o que há de disponível.

Aqui há um download importante: **você pode se conectar com absolutamente qualquer coisa, porque tudo o que desejamos já está disponível no mundo.**

Então, eu te pergunto: qual foi sua vibração até hoje?

Para responder a essa pergunta, basta olhar seus resultados, seu momento atual.

E tudo bem se a vibração que te trouxe até aqui não estava muito elevada.

O que importa é a vibração que você quer emitir daqui para frente.

Agora, dê uma olhada nas imagens a seguir.

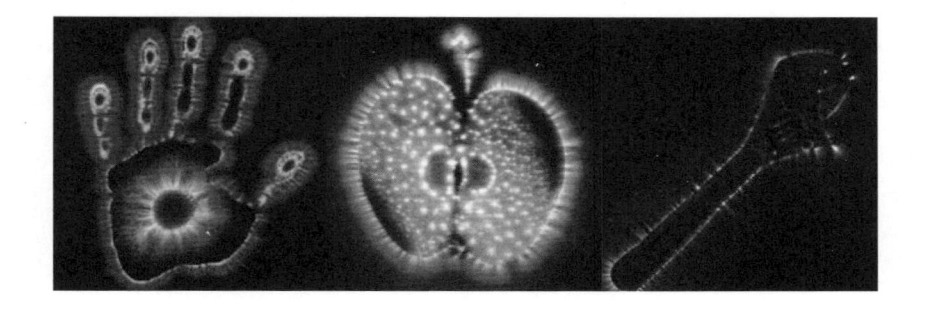

Essas são algumas fotografias Kirlian, que conseguem mostrar a energia das coisas.

Elas também são conhecidas como bioeletrofotografias ou bioeletrogramas.

Trata-se de uma técnica de fotografia que desperta extrema curiosidade e aguça a imaginação das pessoas.

Na verdade, é um registro por imagem da ionização dos gases e vapores exalados pelos corpos – tanto de seres vivos, sejam pessoas, animais ou plantas, quanto de objetos inanimados.

Semyon Kirlian, um engenheiro elétrico russo, e sua esposa, Valentina Kirlian, descobriram essa técnica em 1939.

Ela consiste em colocar o elemento a ser fotografado sobre uma placa fotográfica conectada a uma certa voltagem de eletricidade.

Dessa forma, os gases e vapores emitidos pelo corpo são projetados na placa.

A aura retratada em volta do corpo fotografado representa o movimento das células que fazem parte da construção e desconstrução dos corpos. Esse efeito é conhecido como corona, porque parece uma coroa ao redor dos corpos. *"Mas, William, o que isso tem a ver com a Lei da Atração?"*

Pense comigo: se meus óculos têm vibração, se meu relógio tem vibração, se eu tenho vibração, se o papel que você está tocando agora tem vibração e se você também tem vibração, é a nossa vibração que nos conecta a todas as coisas que existem.

Tudo já está disponível, e nós nos conectamos às coisas pela vibração. Estudar a Lei da Atração Acelerada nada mais é do que estudar a sua vibração e aprender a elevá-la.

Entendendo a sua vibração

Tudo o que eu tenho à minha volta chegou a mim por causa da minha vibração: amizades, relacionamentos, dinheiro bloqueado, dinheiro que flui, apartamento, casamento, namoro, carro – tudo foi cocriado a partir da minha vibração. Então, para entender como foi a sua vibração até aqui, basta olhar os resultados da sua vida hoje.

Nosso objetivo é manter nossa vibração na mesma sintonia que a vibração da prosperidade.

Nosso campo vibracional, que eu chamo de assinatura energética, é nossa linguagem invisível com o Universo. Mais do que pensar nisso, quero que você se pergunte: *"Existe um futuro diferente disponível daqui para frente?"*.

O que passou, o que nos trouxe até aqui, agora não tem mais importância. Sim, é válido reconhecer e entender, para fazer diferente no futuro.

Mas o que importa mesmo é o que vai acontecer daqui para frente.

Entenda: nada é destruído nem construído.

Tudo já existe, e nós nos conectamos à nova realidade.

Se, a partir deste momento, eu quero uma realidade nova, eu tenho que cuidar para, a partir de agora, chegar a essa vibração nova, aumentando o meu nível de frequência vibracional.

Mas o que isso significa?

Agora, neste exato momento, você está vibrando numa frequência.

Se alguém aí no seu prédio ou algum vizinho grita que está pegando fogo, você muda automaticamente seu pensamento, seu estado emocional – você muda a sua frequência. Por instinto, você vai sair correndo do prédio para não morrer queimado.

Então, de alguma forma, aumentou sua frequência.

Você mudou sua assinatura energética.

Como já falei antes neste livro, a Lei da Atração é secundária.

A lei primária é a da Vibração, que foi o que fez você se conectar com sua realidade atual.

Você lembra que eu expliquei que a Lei da Atração diz que todos os sentimentos das pessoas, tanto conscientes quanto inconscientes, ditam a realidade de suas vidas, mesmo que elas não saibam disso?

A verdade é que a maior parte das pessoas – 86%, para ser exato – não consegue fazer a Lei da Atração funcionar de forma acelerada em prol dos seus desejos.

Isso quer dizer que a Lei da Atração não funciona para elas? Funciona, sim. Mas elas estão usando da forma errada.

E sabe por quê? Porque estão vibrando na frequência errada.

Estão mantendo uma assinatura energética que conecta com aquilo que desejam inconscientemente.

> **66 A Lei da Atração não é APENAS DESEJAR, PENSAR E SENTIR. Trata-se de vibrar na frequência certa 99**

A maioria das pessoas, quando quer alguma coisa que ainda não faz parte do mundo delas, começa a vibrar na energia da falta, porque elas acreditam que aquilo que querem não existe.

E, se não existe, é impossível para elas. Só que elas não entendem que, por mais que aquilo não exista na realidade delas, já existe no mundo e, porque já existe, a vibração certa consegue conectar.

A casa com piscina que você deseja não existe na sua realidade, mas já existe em algum lugar. A viagem para Paris não existe na sua realidade, mas Paris já está lá. Então, você pode se conectar com o que quiser se tiver a vibração correta.

O que está por trás da vibração são os sentimentos gerados pelos nossos pensamentos, que são magnéticos e têm uma frequência.

É essa frequência que determina a sua vibração. Quando você passa muito tempo vibrando na mesma frequência, constrói uma assinatura energética.

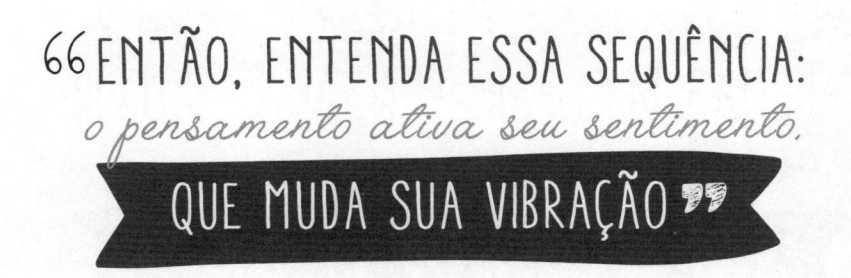

66 ENTÃO, ENTENDA ESSA SEQUÊNCIA: *o pensamento ativa seu sentimento,* **QUE MUDA SUA VIBRAÇÃO 99**

Isso é instantâneo: quando você pensa, já funciona.

Quando você escuta uma música elevada, quando você ora, quando escuta um heavy metal, quando ouve um grito de dor ou desespero, você imediatamente muda a sua vibração.

Nós mudamos a nossa vibração o tempo todo e nem nos damos conta disso.

Agora eu quero te fazer uma pergunta: você canta porque está feliz ou fica feliz porque canta?

Um dos maiores erros que as pessoas cometem é acreditar que ficarão felizes quando arrumarem outro emprego, quando se casarem, quando mudarem de casa ou quando qualquer coisa acontecer.

Você não deve jogar o seu pensamento para o futuro. Pelo contrário. Você deve pensar que é feliz agora.

Você pode mudar toda a sua fisiologia e tudo o que sente com base em um único pensamento.

Assim, é sua capacidade de ficar feliz agora que constrói, no futuro, as coisas que você achava que lhe trariam felicidade.

É como eu sempre digo: *"Eu não conserto problemas. Eu conserto o meu pensamento, e então os problemas se consertam sozinhos."*

Quando você muda sua vibração para uma frequência bacana, você se conecta a tudo o que deseja.

Você vai notar que, ao construir uma assinatura energética positiva, novas coisas boas começarão a acontecer.

Não se trata só de dinheiro, mas também de:

- Ser convidado para um almoço.
- Ganhar um prêmio.
- Negociar ou trocar algo com alguém e ficar feliz com isso.
- Ganhar uma rifa que nem esperava.
- Aumentar a procura por seus produtos e serviços.
- Ganhar um presente sem data especial.

A lista de coisas boas que podem surgir é imensa.

Eu acho o máximo quando mudamos nossa frequência e, dessa forma, mudamos as coisas que chegam até nós.

Lembre-se de que estamos construindo comportamentos.

Seus comportamentos positivos, seus pensamentos, suas palavras, tudo isso gera uma vibração que torna sua assinatura energética potente e positiva para atrair todas as coisas boas que você ainda viverá.

"MUDAR O SEU ESTADO VIBRACIONAL É O SEGREDO PARA MUDAR A SUA ASSINATURA ENERGÉTICA"

Vou te ajudar com três coisas básicas neste momento. Elas são simples, mas já causam um grande efeito:

1. Repare em algo que te agrada.
2. Fale e sinta mais sobre as coisas que deseja.
3. Pesquise sobre aquilo que deseja, leia, estude, se interesse pela vida que deseja tanto.

Essas três coisas passam a alinhar você com seu objetivo (ou objeto desejado).

A sua assinatura energética é o padrão vibracional que conecta tudo o que você tem na sua vida hoje, então, se você quer uma realidade nova, é agora que deve começar a criá-la.

O mundo externo é só reflexo do interno.

Lembra-se do que vimos na fotografia Kirlian?

Lembra que ela registra a vibração de todos os seres e objetos?

Então, a chave do seu apartamento, o iate que você quer, o carro dos seus sonhos, a casa com piscina, tudo, absolutamente tudo, tem energia.

E a sua assinatura energética precisa se conectar com a assinatura dessas coisas que você deseja, com a energia desses outros campos.

Mas você não precisa de uma fotografia Kirlian para conhecer sua vibração.

Você pode senti-la e analisá-la facilmente respondendo às perguntas a seguir:

Quais foram os seus últimos pensamentos? Quais eram os pensamentos que você estava tendo antes de começar a ler este capítulo?

_____

_____

_____

_____

_____

_____

Que tipo de sentimentos você trouxe para o seu corpo quando teve esses pensamentos? O que você estava sentindo? Raiva, mágoa, medo, rejeição, culpa?

_____

_____

_____

_____

_____

_____

_____

Com base nesses sentimentos, como estava sua vibração?

_____

_____

_____

_____

_____

_____

_____

_____

_____

Você precisa entender os pensamentos para identificar os sentimentos e, depois, a vibração.

É exatamente isso que está por trás da Lei da Vibração: os sentimentos gerados pelos pensamentos emitem uma frequência que constrói sua energia, ou seja, sua assinatura energética.

E essa assinatura é responsável pela realidade ao seu redor. Se você quer uma nova realidade, deve, antes de mais nada, criar uma assinatura energética nova!

Se você pudesse descrever sua nova assinatura energética a partir de agora, com o que ela se conectaria hoje? Determine!

_____

_____

_____

_____

_____

_____

_____

_____

_____

_____

_____

_____

_____

MUDAR O SEU ESTADO VIBRACIONAL É O SEGREDO PARA MUDAR A SUA ASSINATURA ENERGÉTICA

Que download você fez deste capítulo?

Você já reparou que diversas vezes nossa lista de pedidos ou de reclamações é grande demais para olharmos a alegria do que temos?

Todos os seus desejos e sonhos só existem por uma única função; o motivo verdadeiro pelo qual você deseja cada coisa que deseja é porque você pensa que se sentirá realmente bem quando a obtiver.

Por isso eu te peço: facilite sua alegria!

Se você passa o dia alimentando situações negativas, ouvindo pessoas negativas, sim, você está facilitando a negatividade na sua vida.

O Universo é vibração, ou seja, está baseado na Lei da Atração, o que significa que ele gira em torno somente da inclusão.

Quando você se concentra em algo, está automaticamente gerando mais situações assim, porque está dizendo sim e incluindo isso em sua energia.

Conecte-se à positividade e gradualmente você irá mudar sua frequência vibrátil.

Existe algo agora que te deixe alegre?

Tenho certeza de que você já conquistou alguma coisa ou que tem algo que mereça ser celebrado.

Um exemplo é este livro que está agora em suas mãos e diante dos seus olhos, que representa sua força de vontade de melhorar.

Ele pode ser seu motivo de alegria agora porque está te ajudando a ter novas ideias, novas formas de pensar e agir.

Ele vai te conectar com seus outros desejos, mas se você não acreditar nisso e não sentir alegria pelo que já tem, qual é o sentido da leitura?

Ligue-se em pessoas positivas, situações positivas, livros positivos, programas de TV positivos. Sua assinatura energética é viva, está em constante criação vibracional.

Pare de pensar naquilo que não quer. Foque naquilo que deseja, na realidade que quer viver e se conecte a ela. Desligue-se de qualquer coisa que gere vibrações negativas em você.

Se você não se sente realmente bem em seu caminho para chegar aonde quer, você não pode chegar lá.

Você realmente tem que estar satisfeito e alegre com o que é e tem enquanto está chegando mais.

O caminho está acontecendo, as coisas estão fluindo e está tudo bem.

Estar satisfeito e alegre não significa acomodar-se, muito pelo contrário, é reconhecer o que tem. Você consegue imaginar como está agora a assinatura energética de quem está alegre?

Consegue imaginar como está a assinatura energética de quem está vibrando na preocupação sobre se vai conseguir ou não?

Preocupar-se é usar sua imaginação para criar algo que você não quer!

Além disso, a mente gera mais escassez, porque quem se preocupa mantém a mente no vazio, em algo que ainda nem aconteceu.

Por isso, procure silenciar um pouco o que você não quer. Escolher como você vai se sentir permite que você administre sua própria vibração!

Esse esquema significa que você está controlando seu próprio ponto de atração!

Você emite sua frequência ao Universo o tempo todo, e estar consciente disso te favorece.

Posso repetir a você que neste momento você está criando a sua própria realidade.

Isso não é desesperador ou preocupante, isso precisa ser um alívio.

E é reconfortante perceber que você pode criar sua própria realidade sem meter seu nariz na vida dos outros e que, quanto menos atenção você dá à realidade deles, mais elevada sua vibração permanece e mais você terá satisfação em realizar suas coisas.

Seus pensamentos mudam, suas palavras mudam, suas atitudes mudam, seu comportamento muda e então sua realidade é nova!

As oportunidades e circunstâncias ao seu redor mudam para se alinhar com o que você está sentindo agora!

> "
> Quando você espera alguma coisa, ela está a caminho. Quando você acredita em algo, ele está a caminho. Quando teme algo, ele está a caminho.
>
> **Esther e Jerry Hicks, _Peça e será atendido_**

Chegou a hora de facilitar um pouco mais a sua alegria.

Escreva a seguir, sem pensar muito, três coisas que te fazem mais alegre hoje. Não vale o livro, porque já citei. Vamos lá?

_____

_____

_____

Observe que, para essas três coisas acontecerem, você precisou de energia para vibrar nelas e, até para percebê-las, teve que mudar seu foco.

Se havia uma voz interna falando bobagens ou te colocando pra baixo, agora você está olhando para o lado alegre com o seu momento.

Você não precisa conseguir tudo com dificuldade, mas precisa começar do lugar onde está, facilitando as coisas.

Uma coisa boa vai te acontecer agora e outra coisa não tão boa vai te acontecer também.

Faça o seguinte: fale sobre a coisa boa mil vezes e não fale nada sobre a coisa ruim.

Experimente essa sensação. É no mínimo uma nova experiência.

Repare no seguinte: quando perguntamos a alguém *"Como foi o seu dia?"*, a pessoa pode responder: *"Foi horrível. Bateram no meu carro no estacionamento, deixando um risco imenso, e agora não sei quanto vou gastar para consertar isso. As coisas estão ficando cada vez mais difíceis, o ser humano não sabe mais viver em sociedade. A melhor coisa a se fazer é se afastar de todo mundo..."* e por aí continua o discurso cheio de coisas ruins que aconteceram.

Dificilmente as pessoas falam *"Eu tive um belo almoço com o William, discutimos novas ideias para aplicar no próximo mês, comemos uma sobremesa maravilhosa e no final – você não acredita – ganhamos o almoço de presente de dois amigos que estavam lá e não vimos..."*

> **"**
>
> Atraio para minha vida qualquer coisa à qual dedico minha atenção, energia e concentração, seja em termos positivos ou negativos.
>
> **Michael J. Losier, *O segredo colocado em prática***

Quando você coloca todo seu foco sobre algo indesejado buscando empurrar aquilo para longe, isso só se torna mais próximo!

Quando repete conversas sobre doença, dor, falta de dinheiro, quando reproduz o discurso negativo centenas de vezes, você o está recriando.

E por que razão fazer isso? Está buscando a compaixão alheia? A caridade do outro? A pena de quem vive com você?

Atenção: você se basta!

A Lei da Atração age sobre o que você coloca atenção e força, porque nesse momento você ativa toda sua vibração para isso.

Ler este livro, por exemplo, se questionando se está no caminho certo, enfraquece todo o processo.

Responder às minhas perguntas pensando *"Ah, isso é bobagem, isso não muda minha vida"* faz com que seu processo seja fracassado, porque você está emitindo essa frequência vibracional, está produzindo uma assinatura energética que se conecta com tudo que há de pior nesse processo de dúvida.

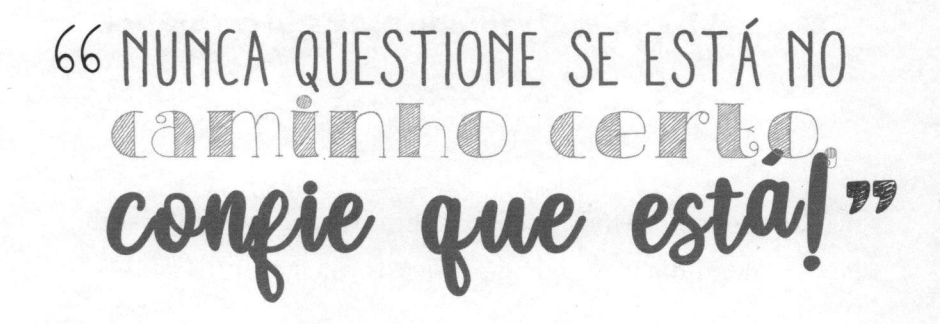

66 NUNCA QUESTIONE SE ESTÁ NO caminho certo, confie que está! 99

Quanto mais você confiar que está no caminho certo, mais o caminho irá se revelar de formas significativas e poderosas. Você vai até querer chamar de coincidência, destino, carma, sincronicidade, sorte, "era pra ser assim", coisas que quem usa a Lei da Atração de forma consciente sabe que não são coincidência ou sorte.

Quanto mais você insiste em se questionar se está no caminho certo, mais o caminho se fecha e você se sente um bobo achando que isso não funciona ou que era mesmo bobagem.

> **"**
>
> O que você irradia em seus pensamentos, sentimentos, imagens mentais e palavras você atrai para sua vida.
>
> **Catherine Ponder, _Leis dinâmicas da prosperidade_**

Uma vida feliz é somente uma sequência de momentos felizes, mas a maioria das pessoas não permite o momento feliz porque está muito preocupada (pré-ocupada) tentando conseguir uma vida feliz!

Pode parecer loucura, mas faz todo sentido dentro desse processo.

Alguém com medo de assalto vive olhando para os lados o tempo todo, trancando tudo, escondendo tudo – vibrando já no assalto. Conheço inclusive pessoas que andam com uma bolsa a mais, a famosa bolsa do ladrão.

Trata-se de uma bolsa falsa, recheada de tranqueiras para, se forem assaltadas, entregarem essa peça e não a verdadeira.

O que essas pessoas estão fazendo senão criar a própria situação do assalto? Elas estão constantemente emitindo essa frequência: *"Vou ser assaltada, vou ser assaltada"*.

Eu não oro para não ser assaltado, eu oro agradecendo por mais um dia de paz e segurança.

A mulher que tem muito medo de ser traída e fica cheirando a roupa do namorado quando ele chega, tentando olhar o celular enquanto ele toma banho, pode não perceber, mas está criando a realidade da traição o tempo todo, quando faz e vibra nisso.

A assinatura energética dela é toda de uma pessoa traída.

Vou mais longe: quando ela termina esse relacionamento por traição e arruma outro companheiro, atrai novamente uma pessoa infiel.

Você está tendo contato com um conteúdo chamado por muitos de *"O segredo"*; está despertando e começando a modular seu pensamento no que diz respeito à forma como se sente, ao invés de resultados que deseja.

A tendência é você deixar fluir um pouco de energia e já verificar se deu resultado.

O problema é que quando você vai verificar se já deu resultado, você volta à sua realidade anterior. Isso é sempre o verdadeiro, o que eu penso e como me sinto e o que se manifesta, é sempre uma compatibilidade vibracional!

Quando você treina gradualmente seus próprios pensamentos para a expectativa positiva, quando se alinha com pensamentos de merecimento e bem-estar, quando está em um propósito verdadeiro em busca de pensamentos e bons sentimentos, você não oferece mais resistência à sua própria abundância!

Das três coisas pelas quais você se alegra hoje, qual delas você escolheria como a mais forte se eu dissesse que só é possível escolher uma?

_____

_____

_____

_____

_____

_____

_____

_____

_____

Que bom que você não precisa limitar sua vida a apenas uma alegria, pois cada instante de contentamento vem acompanhado de outro e mais outro.

Aquela sensação agradável de que o Universo inteiro circula ao seu redor é verdadeira e forte.

Durante muitos anos, eu não gostava de onde morava. Eu vim do interior e de um bairro muito pobre. Eu não gostava do que via quando saía à rua para ir à escola ou trabalhar, mas, mesmo não me sentindo inserido ali, eu agradecia intuitivamente pelo que tinha. Eu sabia que lá muitas pessoas gostavam de mim, me sentia acolhido, protegido pela minha família. Eu tinha para onde voltar, tinha minha cama, tinha alimentos. Embora estivesse numa situação externa escassa, eu sabia, no fundo da minha alma, que não permaneceria ali.

Conheço pessoas que, trinta anos depois, moram no mesmo lugar e suas casas continuam iguais, e está tudo bem.

Cada alma tem seu tempo, sua evolução e seu jeito de ser.

A questão aqui é quando você não quer mais a situação em que vive e deseja subir mais um degrau, ou melhor, vários deles.

Sempre que está dando atenção a alguma coisa, você está emitindo uma vibração, e a vibração é o que conecta, é o mesmo que pedir por algo igual ao seu ponto de atração.

Se você ainda não tem alguma coisa que deseja, coloque sua atenção nisso.

Pela Lei da Atração, ao pensar nessa coisa ou ao experimentar seu desejo, você emite uma vibração que traz para perto o que você almejou.

Entretanto, se você colocar sua atenção no seu estado atual, ou seja, na falta daquilo que deseja, então a Lei da Atração continuará a combinar com a vibração de não ter aquilo, e você continuará na escassez.

Você atrai por meio da sua vibração.

Tudo no Universo está sob a poderosa Lei da Atração, e quando você vibra dor não pode atrair alegria: a vibração da dor atrai apenas dor, e a vibração da alegria atrai alegria, a vibração da doença atrai doença, e assim por diante.

O maravilhoso disso é que quando você entende a lei e é sensível o bastante para sentir como está vibrando, então está no controle da sua experiência – agora de forma consciente e não mais num "achismo".

Permita-se mais alegria e mais alegria virá para você.

Lembre-se: já está vindo.

Que download você fez deste capítulo?

_____

_____

_____

_____

_____

_____

_____

_____

_____

_____

_____

_____

_____

_____

_____

Capítulo 13

LIDANDO COM O 1º SEGREDO
da quintessência

"Seu estado de espírito está sempre revelando o que está a caminho."

Ester e Jerry Hicks, *Peça e será atendido*

A rejeição, 1º Segredo da Quintessência revelado aqui neste livro, é um sentimento assustadoramente forte e um dos que mais atrapalham a aceleração da Lei da Atração em nossa vida.

Após muitos anos atendendo em consultório, percebi que a rejeição fez muitas pessoas perderem oportunidades de serem muito mais do que são hoje.

Aqui está um passo importante: reconhecer o que te bloqueia.

Está certo que cada pessoa tem seu tempo, porém, sem sombra de dúvida, se elas tivessem trabalhado a rejeição que dói dentro do peito, as coisas teriam sido mais fluidas ao longo dos anos.

Se o Universo se conecta com nossa vibração, então imagine o que ocorre com quem se rejeita? Qual é a vibração emitida nesse momento? Se pudéssemos fotografar agora uma pessoa que sente rejeição o tempo todo, como seria sua fotografia Kirlian?

Muitas pessoas convivem com esse sentimento e nem se dão conta.

A rejeição costuma ser mais sutil do que outros sentimentos negativos que temos e logo identificamos, como a raiva, por exemplo.

A rejeição é uma reação pessoal que pode acontecer nos mais diferentes contextos, como no sentimental, quando alguém declara seus sentimentos, mas eles não são recíprocos.

O que isso significa? Apenas que a outra pessoa não está na mesma energia. Mas não significa que ela não ache a primeira bonita, legal, ou o que quer que seja.

Significa apenas que ela não está na energia de ficar com a pessoa que se declarou do jeito que esta queria. Mas, nesse momento, pode se instalar o sentimento de rejeição, de não ser querido, de ser excluído, afastado.

Essa rejeição pode ser real, mas também pode ser imaginária, ou seja, a pessoa fragilizada por seus sentimentos pode ver rejeição onde talvez ela não exista.

A rejeição imaginária provavelmente seja fruto de um trauma por ter sido rejeitado em outros momentos da vida.

A experiência foi dolorosa e deixou marcas, de modo a fazer essa pessoa ver rejeição onde ela não está ocorrendo de fato.

Por isso é importante percebermos se a rejeição realmente aconteceu ou se está só na nossa cabeça.

Dentre os inúmeros casos que atendi no consultório, uma vez, atendi uma mulher trans, ou seja, que tinha passado por um processo de mudança de sexo.

Durante sua infância e adolescência, ainda como rapaz, ela foi rejeitada muitas vezes, principalmente pela família, pelos amigos e outras pessoas próximas.

Quando chegou a mim, ela já tinha passado por todo o processo.

Mas, mesmo tendo uma imagem feminina – sem barba, com cabelos longos, de batom, com decote e um corpo bonito, tendo, inclusive, mudado sua identidade e todos os outros documentos – aonde quer que ela fosse, se sentia rejeitada.

Se entrava numa loja e um segurança passava, ela já ia tirar satisfação, perguntar por que estava olhando para ela, por que estava falando dela.

Ou seja, ela tinha a sensação de estar sendo julgada e rejeitada, mesmo quando a outra pessoa nem sequer a havia notado.

Por que estou usando esse caso para ilustrar aqui? Ela foi muito rejeitada na infância e continuava se sentindo assim mesmo nos momentos em que não havia rejeição alguma no presente.

Então, a partir dessa história, analise e perceba como estão as coisas dentro de você.

Sinta se está tudo bem, se tudo está fluindo, ou se você tem algum bloqueio no sentido de achar que está sendo rejeitado constantemente.

Não existe pílula mágica para resolver tudo.

O que existe é autoconhecimento.

CHECKLIST DA 🔒
rejeição

Nós já compreendemos que a rejeição pode ser real ou imaginária. Em algum momento da nossa vida, podemos ter sentido rejeição, seja na escola, na infância ou até mesmo enquanto nossas mães estavam grávidas.

Para saber se você lida com esse sentimento, vamos fazer um checklist. Eu vou elencar vinte comportamentos e quero que você vá marcando aqueles que identificar em si mesmo. Por fim, vamos ver quantos deles você apresenta.

1. OFUSCAR-SE A VIDA TODA (   )

A primeira coisa que as pessoas fazem quando se sentem rejeitadas é passar a vida toda se ofuscando. Quando fazem isso, elas se diminuem, se menosprezam. Quando alguém as elogia, elas recusam. Talvez você já tenha feito isso. Alguém diz: *"Nossa, você é tão inteligente!"* E o que você responde? *"Ah, imagina, não sou nada. Se ao menos eu tivesse feito isso, mudado aquilo, mas eu não fiz nada."* Quem se ofusca dá um jeito de negar o elogio, de negar a sua própria qualidade. Essa é uma característica de uma autoestima extremamente baixa.

2. TENTAR PROVAR QUE É BOM O TEMPO TODO ( )

Esse é o outro extremo da característica número 1. Existem dois tipos de pessoas. O primeiro tipo é o daquelas que passam a vida inteira se ofuscando. E existe o segundo tipo, que são aquelas que fazem justamente o contrário: passam o tempo todo tentando se afirmar, tentando provar que são boas, que são ricas, que são legais. Já viu aqueles caras que ficam se gabando de quantas mulheres "pegaram", como se fossem os maiorais? Ou garotas que ficam mostrando os caras bonitões com quem já saíram? São pessoas que precisam provar que são boas o tempo todo. Entenda que o nosso objetivo aqui não é julgar nem criticar ninguém. Você só deve olhar para si mesmo e pensar se tem ou não esses comportamentos.

3. DUVIDAR O TEMPO TODO DO SEU DIREITO DE EXISTIR ( )

Neste caso, as pessoas acham que nunca têm direito a nada. No fundo, elas duvidam do próprio direito de existir, de estar no mundo, e não permitem que ninguém faça nada por elas. Elas estão tão acostumadas a fazer tudo para todo mundo (para compensar a "inconveniência" que é a sua existência) que, quando alguém vai fazer por elas, sentem que não têm esse direito. Sim, esse é um comportamento que nasce de uma rejeição passada.

Se for o seu caso, aceite o melhor. Deixe o mundo lhe trazer o que há de melhor, porque agora você se abriu para o ciclo da prosperidade!

4. REFUGIAR-SE EM SEU MUNDO INTERIOR PARA FUGIR DA REALIDADE (   )

É o que ocorre com pessoas que fogem o tempo todo das circunstâncias da vida e se escondem num mundinho só delas, onde se sentem protegidas.

Não gostam de interagir com os outros e, quando você tenta trazê-las para o mundo real, acabam se afastando ou negando a realidade.

5. JULGAR-SE SEM VALOR (   )

É a condição de pessoas que se sentem inúteis. *"Ah, eu não sirvo pra nada, não tenho valor. Nada dá certo pra mim."* Provavelmente elas estão repetindo informações que receberam na infância e que assumiram como verdades, estão no que chamo de paradigma do coitadinho.

6. BUSCAR A PERFEIÇÃO POR MEDO DO JULGAMENTO (   )

Esse comportamento é típico de pessoas que já foram rejeitadas.

Agora elas precisam ser perfeitas porque assim não viverão essa experiência novamente.

Se você fizer uma crítica à camisa de uma pessoa segura de si, ela vai continuar usando a camisa, porque é o gosto dela, e é só uma camisa. Agora, esse mesmo comentário para alguém que sofre de rejeição vai gerar uma cadeia de pensamentos de insegurança: *"Nossa, ele não gostou da minha camisa. O que tem de errado? Será que é a cor? Será que não fico bem de preto? A partir de hoje vou usar só branco."*

Isso mostra que a pessoa não tem personalidade, não consegue lidar com um simples não do outro. Ela precisa ser perfeita o tempo todo para ser amada, para não ser rejeitada.

7. NÃO GOSTAR DE TOQUE (   )

Existem pessoas que, quando tocadas, sentem que alguém está invadindo seu mundo interior, que é onde elas acreditam não sofrer, porque ali não podem ser rejeitadas por mais ninguém.

Sabe aquela pessoa que, quando você vai abraçar, ela já abraça dando tapinha ou de longe? São indivíduos que não aceitam toque, o que pode mostrar uma rejeição passada.

Muitos deles, com medo da partida, não deixam ninguém chegar em suas vidas, que não têm esse direito. Sim, esse é um comportamento que nasce de uma rejeição passada.

Se for o seu caso, aceite o melhor. Deixe o mundo lhe trazer o que há de melhor, porque agora você se abriu para o ciclo da prosperidade!

8. DESVALORIZAR-SE E SE COMPARAR COM QUEM JULGA SER MELHOR ( )

Quando você vê uma pessoa e a considera melhor que você, mesmo que só um pouquinho, acaba se desvalorizando. Você reafirma para si mesmo ou para os outros que não se sente tão bacana assim. Pessoas que têm esse comportamento muitas vezes não se dão conta de que estão se desvalorizando fazendo comparações o tempo todo.

9. TER DIFICULDADE DE ACREDITAR QUE PODE SER AMADO OU ESCOLHIDO NOS CÍRCULOS SOCIAL, PROFISSIONAL, FAMILIAR E AMOROSO ( )

Certas pessoas acreditam que jamais serão amadas ou escolhidas em círculo algum. Lembra-se do exemplo das aulas de educação física na escola? Sabe quem eu era naquela época?

Era sempre o gordo, o que não sabia jogar, o que entrava na quadra e não fazia nada. E eu não estava sozinho. Alguns colegas até choravam porque não tinham sido escolhidos. O pior é que esse processo de rejeição vai se repetindo.

Eu tenho uma experiência ruim com rejeição.

Como sempre fui muito inteligente, era o aluno que tirava as melhores notas. E aí o que a professora fazia? Ela pegava a minha prova e falava lá na frente da sala: *"Olha, eu queria ter pelo menos uns cinco Williams aqui na sala, porque ele foi o único que tirou 10. Eu peguei a prova dele como modelo para poder corrigir as outras."* Hoje tenho consciência de que fui diferente das outras crianças porque fui um adulto no corpo de criança, por isso eu já sabia o que a docente explicava. Só que também fui muito rejeitado pelos meus amigos por ser uma criança prodígio.

Eu era diferente dos outros meninos. Eles eram bons no futebol, na queimada, no vôlei. Eu sempre fui muito ruim em jogos e não gosto de me expor, então nunca joguei futebol, nunca joguei basquete, vôlei, nada. O único esporte que fiz na vida foi natação. Então o que acontecia?

As aulas de educação física eram o momento em que eles me rejeitavam. Como terapeuta, passei por vários processos de ressignificação dentro de mim.

Hoje compreendo que aquele era o modo que eles tinham de me mostrar que eu não era tão bom quanto a professora falava.

Hoje eu vejo que cada um estava fazendo o seu papel, mas, dentro desse circuito, existia um processo de rejeição.

Muitas vezes a pessoa tem dificuldade de acreditar que é amada, que é acolhida.

Então hoje, no processo da vida adulta, é preciso entender se ainda existe algum resquício de rejeição que possa machucar de alguma forma.

10. ACHAR QUE ESTÁ SEMPRE INCOMODANDO ( )

Isso é bastante comum entre pessoas que vivem com o sentimento de rejeição.

Elas fazem de tudo para não incomodar, se esforçam tanto que chegam a ser chatas.

Sabe o Professor Girafales quando chega para visitar a Dona Florinda, no programa do Chaves? Ela o convida para entrar e tomar uma xícara de café. E ele sempre diz: *"Se não for muito incómodo."* Caramba! Tudo o que ela queria era que ele entrasse, mas ele fica sempre cheio de dedos.

Pessoas que têm esse medo constante de incomodar geralmente já se sentiram muito rejeitadas.

11. NÃO EXPRESSAR SUA OPINIÃO POR MEDO DO JULGAMENTO ( )

Adivinhe o que vem junto com o julgamento? A rejeição. Quem tem medo da rejeição evita emitir opinião, porque pode ser julgado, e isso vai reativar aquela experiência ruim dentro de si.

12. NÃO SE CONSIDERAR INTERESSANTE (   )

Alguma vez você já encontrou uma pessoa incrível, mas que não enxergava todo o brilho que tinha? Para os outros, ela é a rainha da festa, mas ela simplesmente não consegue se ver desse modo. Ela se acha apagada e invisível. Está sempre olhando o que não tem e o que não é. Não tem a percepção de suas qualidades.

13. PEDIR DESCULPAS O TEMPO TODO (   )

Isso está intimamente relacionado ao não querer incomodar e à sensação de não ter direitos.

Resultado: a pessoa fica toda hora se desculpando. Preste atenção nas suas frases. Se elas sempre começam com "desculpa", é porque há um sentimento de rejeição pairando sobre a sua cabeça.

14. NÃO PEDIR AJUDA (   )

Imagine se a pessoa que se sente rejeitada vai ter coragem de pedir ajuda? Claro que não! Pedir ajuda é incomodar o outro e, ao mesmo tempo, se expor a mais uma chance de rejeição.

15. NÃO SABER DIZER NÃO (   )

Neste caso, a pessoa tem tanto medo de ser rejeitada, de deixar de ser amada, que não sabe dizer não, mesmo enxergando que vai se prejudicar naquela situação.

Depois, ela sempre acaba sofrendo porque se arrepende dessa atitude. E, mais uma vez, percebe que se renega.

16. FICAR REMOENDO PENSAMENTOS E COISAS QUE FORAM DITAS (   )

Quando você sente rejeição, isso vibra em você, atraindo mais rejeição. Todo sentimento tem fome dele mesmo, lembra?

Ficar remoendo lembranças, pensamentos e coisas ruins que ouviu é uma forma de sua rejeição se alimentar dela mesma, num círculo vicioso de sentimentos.

A rejeição faz com que você fique trazendo à mente o tempo todo aquelas frases que te falaram e que fizeram você se sentir rejeitado. *"Olha, eu não posso te convidar para o meu casamento, porque a lista já está lotada."*

Pronto, rejeição ativada! Passa uma semana, passam duas, três, e você continua ouvindo essa frase. Passa um mês e ela ainda está lá. Passa um ano, passam dois, três anos, e essa sentença continua na sua cabeça.

Se isso alguma vez lhe aconteceu, se você é frequentemente assombrado por coisas que lhe disseram no passado, então há um forte sentimento de rejeição vivendo aí dentro de você.

17. SER EXCESSIVAMENTE CRÍTICO COM AS OUTRAS PESSOAS (   )

Sabe aquela pessoa que critica tudo que vê?

Pode ser até a novela – que ela está lá, por livre e espontânea vontade assistindo sentada no seu sofá, mas ela critica os personagens como se fosse obrigada a ver aquilo: *"Ah, se essa aí fosse minha filha, eu ia dar uma lição nela. Ah, esse marido aí não presta..."*

Pessoas que passam o tempo todo criticando as outras estão num forte processo de rejeição.

18. TENDER AO ISOLAMENTO SOCIAL (   )

É super comum que pessoas que sofreram rejeição se isolem. Se vai ocorrer uma festa ou qualquer tipo de evento, elas preferem não ir ou ir embora mais cedo. Se são convidadas para um jantar, dão um milhão de desculpas.

São pessoas que se sentem melhores e mais confortáveis dentro de casa.

19. TER DIFICULDADES COM A INTIMIDADE (   )

Se, à medida que as pessoas vão entrando em sua vida, você começa a sentir mais dificuldade com a intimidade, fique atento.

Por exemplo: você vai percebendo que a relação está indo para um nível mais íntimo, e por isso decide rompê-la; você não permite a intimidade, inclusive no sexo, porque está o tempo todo se sentindo rejeitado – claro, como é que você vai mostrar o seu corpo para alguém que de repente pode te rejeitar também, não é mesmo?

Tudo isso evidencia um nível excessivo de resistência à intimidade, por receio de que outra pessoa entre na sua vida e descubra quem você é mais profundamente, com todos os seus defeitos e frustrações.

20. NUNCA SE SENTIR BONITO ( )

A pessoa que sofre com a rejeição, mesmo que seja linda, mesmo que todo mundo a elogie, não consegue se sentir assim, porque a autoestima dela está extremamente baixa, e ela se sente sempre péssima.

Agora, conte quantos pontos você fez nesse checklist. Quantos desses comportamentos você tem apresentado?

_____

_____

_____

_____

_____

_____

_____

_____

_____

_____

De onde vem a sua rejeição?

Essa é uma pergunta poderosa; quando você encontrar a resposta, vai ser muito mais fácil transmutar esse sentimento.

O NOSSO DESENVOLVIMENTO EMOCIONAL É COMPOSTO DE QUATRO FASES:

1. A alegria de sermos nós mesmos.
2. A dor de não termos o direito de sermos nós mesmos (é nessa fase que entram as crenças de nossos pais e se formam nossos padrões).
3. A revolta (adolescência).
4. A resignação, quando criamos uma nova personalidade.

Todos nós passamos por essas quatro fases.

E, em algum desses momentos, a rejeição se estabeleceu em nós.

Antes de seguirmos em frente, preciso te explicar que as pessoas que lidam com a rejeição se dividem em quatro grupos.

O primeiro grupo é o das pessoas que já perceberam que a rejeição dói e querem sair desse ciclo; elas querem se sentir livres para ser quem são. Elas querem poder dizer: *"Eu me amo e está tudo bem".*

O segundo grupo é o das pessoas que buscam mais do mesmo.

Elas buscam pessoas que vão rejeitá-las e, por mais contraditório que isso pareça, é assim que se sentem amadas, porque isso alimenta o padrão delas.

Imagine uma mulher que só se relaciona com homens que a rejeitam.

Quanto mais o namorado a rejeita, mais ela corre atrás dele.

O terceiro grupo é o das pessoas que fogem de tudo para evitar a rejeição: não aceitam convites, não querem conhecer pessoas, enfim, realmente se isolam.

Por fim, o quarto grupo é o das pessoas que, ao contrário, buscam fugir da rejeição aceitando todo e qualquer convite, tentando compensar esse sentimento ao se fazerem presentes o tempo todo.

Nesses dois últimos casos, a balança de harmonia interna está completamente desequilibrada.

E é aqui que entra a pergunta poderosa: de onde vem tudo isso?

Qual é a origem da sua rejeição?

Ela pode vir de um passado muito distante, até mesmo de dentro da barriga da sua mãe, porque tudo na gente é vibração.

Quando você pensa, o sentimento automaticamente se instala, e você vibra se conectando com a realidade.

A questão é que essa vibração, esse sentimento, tem uma descarga emocional dentro da gente que se armazena no nosso subconsciente.

Se você estava na barriga da sua mãe e, mesmo que por apenas um instante, ela não quis você, ela pensou, sentiu e vibrou essa energia.

Você, que era somente um feto lá dentro da barriga, estava recebendo o mesmo sangue que ela, cercado de líquido, e todas as moléculas mudaram a partir daquela vibração. Isto é, você sentiu essa rejeição.

Pode ter sido da mãe, do pai ou de outras pessoas da família.

Pode ser até sua própria rejeição, por não aceitar a família que está ali e que lhe foi dada. E assim você vai crescendo com essa rejeição.

Curioso dizer isso, não é? Normalmente nos colocamos na rejeição como vítimas: "Minha família não me aceita."

É raro ouvir alguém dizer: "Eu não aceito a minha família porque não gosto do jeito do meu pai, não gosto da minha mãe, eu não os aceito." Estar no papel de vítima dá muito mais ibope.
A rejeição também pode ter surgido mais tarde, na infância.

Lembra quando eu falei da criança que nunca é escolhida para o time? Ela sente aquilo. Sentiu, vibrou.

Então ela vai para casa pensando nisso, e de repente o Universo dá a ela mais do mesmo.

Ela vê que estão todos os amiguinhos brincando na rua, mas ninguém a chamou, e se sente rejeitada mais uma vez.

Mas você pensa que isso é só coisa de criança?

Quantas vezes agora, já na vida adulta, você viu seus amigos juntos numa festa ou reunidos numa mesa de bar e ficou se perguntando: "Por que não me convidaram?"

Você pode tentar racionalizar de todas as formas, mas, lá no fundo, bate uma rejeição.

Portanto, neste momento, busque na sua história de onde vem o seu sentimento de rejeição.

_____

_____

_____

_____

_____

_____

_____

_____

_____

_____

_____

_____

Você consegue descrever algum momento forte em que se sentiu rejeitado?

_____

_____

_____

_____

_____

_____

_____

_____

_____

_____

_____

_____

_____

_____

_____

_____

_____

Que download você fez deste capítulo?

Capítulo 14

AS 4 FASES DO DESENVOLVIMENTO *emocional*

"Estou livre da dor e totalmente em sintonia com a vida."

Louise Hay

Imagine que você está em casa, deitado na sua cama, olhando as redes sociais, quando vê que todos os seus amigos estão juntos numa festa. Um sentimento de rejeição permeia o seu interior, e já sabemos que tudo o que é vivido dentro da rejeição se acumula na alma.

Dado que esse acúmulo não é de hoje, torna-se importante entender as **quatro fases do nosso desenvolvimento emocional.**

1. PRIMEIRA FASE: A ALEGRIA DE SER VOCÊ MESMO

É a fase em que somos crianças. Não importa como somos: branco ou negro, gordo ou magro, alto ou baixo. Para a criança, o jeito dela é o jeito certo. Ela é espontânea, feliz e alegre.

2. SEGUNDA FASE: A DOR DE NÃO TER MAIS O DIREITO DE SER VOCÊ MESMO

Nessa fase, as crenças dos nossos pais começam a ser absorvidas. *"Não pode isso, não pode aquilo"*; *"Arruma esse cabelo"*; *"Lava esse rosto"*; *"Não pode chegar na casa da sua avó com essa roupa"*.

Desse modo, a criança – que antes estava muito feliz por ser quem era – passa a perceber que está ou é errada.

Começamos a entender que não podemos ser quem somos, pois temos que nos encaixar num padrão. Todas as crenças dos nossos pais vão se infiltrando, nos colocando num molde, numa caixinha.

3. TERCEIRA FASE: A REVOLTA

Depois de muito aturar isso, chega um momento de revolta – normalmente na adolescência, quando mais nos questionamos a respeito dos nossos pais.

Você deve lembrar que, quando criança, amava que seus pais fossem te buscar na escola. Mas, já adolescente, detestava sair do colégio e encontrá-los ali te esperando. *"É mico!"* O adolescente tem vergonha dos pais.

E é nessa fase de revolta que começamos a viver algumas revelações, os primeiros amores... e também as primeiras rejeições fora do ambiente familiar.

Não é que a rejeição dentro da família acabe. Na verdade, é bastante comum que a família se decepcione com quem nos tornamos e diga coisas como *"Você não é como eu esperava que fosse"*, ou *"Você nunca vai ser feliz assim. Eu sei o que é melhor para você."* Isso desperta o sentimento de rejeição e mais revolta. Pode inclusive causar inúmeros conflitos familiares, incontáveis discussões e, às vezes, até planos de fuga e válvulas de escape que não são legais.

4. QUARTA FASE: A RESIGNAÇÃO

Então chega a vida adulta e nós nos resignamos. É como se nos encaixássemos. Criamos uma realidade afastada da nossa essência. Nos tornamos exatamente o que os outros queriam que fôssemos. E aí vira uma bola de neve que pode levar à fuga para a bebida, para o sexo, para as drogas ou mesmo para uma depressão.

66 ABANDONE O PAPEL DE VÍTIMA: ele é péssimo e a Lei da Atração detesta isso"

Por mais que dê ibope, não dá mais pra aceitar o papel da vítima.

A vítima é aquela que diz: *"Eu fui rejeitada! A minha família não me aceita."* Se você ficar nesse papel, se mantiver essa vibração, não vai mudar nada na sua vida.

O papel de vítima não controla, não limpa e não cura ninguém.

Não pense que Deus vai chegar e fazer alguma coisa por você. Deus é o Criador de tudo, mas Ele não faz por nós, Ele faz por meio de nós.

Nós somos os cocriadores.

Por isso, precisamos tomar nossa vida nas mãos e entender o que aconteceu até aqui, sem procurar culpados. Não houve crime para que precise haver culpados. Isso não é um julgamento.

Tudo é uma questão de escolha.

Se você escolher deixar as crenças, os medos e o ego conduzirem sua vida, eles o levarão para cada vez mais longe do seu propósito, que é viver no fluxo vitorioso de abundância, alegria e fluidez.

Enquanto você cultivar pensamentos derrotistas, estará sempre na derrota, porque você mora em você, você está dentro de você, não é possível fugir disso.

Se você alimentar o sentimento de rejeição, se sentirá assim sempre, mesmo que as pessoas não estejam te rejeitando.

E isso é uma das piores coisas que podem acontecer.

É quando você mesmo se rejeita.

Você se olha no espelho e não sente quem é.

Não sabe se é criança ou se é adulto. Se é menina ou mulher. Se é menino ou homem.

Você precisa escolher deixar o medo, o ego e as crenças de lado, porque eles bloqueiam a sua prosperidade e te impedem de entrar no fluxo vitorioso.

Transmutando a rejeição

Você já percebeu que a rejeição atrapalha até a sua prosperidade, certo?

Agora eu vou te ensinar uma técnica para transmutar esse sentimento em apenas 4 minutos.

É a reciclagem da rejeição. Você pode repeti-la quantas vezes quiser, quantas vezes achar necessário, até sentir que a rejeição não faz mais parte da sua vida.

Quando o sentimento vier e você identificá-lo, é esse o momento de acionar a técnica de reciclagem em 4 minutos para transmutar seus sentimentos.

Você irá melhorar instantaneamente.

Eu sei que pode parecer muito simples. Sei que num primeiro momento a sua mente vai julgar, porque é isso que fazemos.

Num segundo momento, pode ser que você se sinta tentado a rejeitar a técnica, porque quem foi rejeitado e agora rejeita sabe como fazemos isso naturalmente a vida inteira.

Mas é nesse instante que eu preciso que você insista. Lance mão da sua mente consciente, da sua mente inteligente, da sua mente mestra, aquela que acredita e que está no controle.

Para começar, esteja presente no momento, sem distrações, em silêncio.

Não deixe nada te atrapalhar agora.

Certifique-se de que a televisão esteja desligada, de que o celular esteja no modo avião. Pronto para começar?

PRIMEIRO PASSO: CONCENTRE-SE NA SUA RESPIRAÇÃO

Respire fundo, solte o ar e foque sua mente no momento presente. Agora, ainda em silêncio e respirando fundo, direcione à sua mente o sentimento de rejeição. Relembre o momento, a cena em que se sentiu rejeitado. Imagine que esse momento dói muito em você, sinta-se machucado, ferido, excluído.

SEGUNDO PASSO: MANIFESTE NO SEU CORPO ONDE DÓI A REJEIÇÃO

Respire fundo e se pergunte: onde dói a rejeição? Sinta e leve suas mãos até a parte do seu corpo onde está essa dor. Pode ser o peito, a cabeça, a barriga, as costas, a garganta, os ouvidos.

Não tem certo e errado. Sinta no seu corpo, que ele vai lhe dar a resposta. Peça ao seu corpo para mostrar a você onde essa rejeição se manifesta.

TERCEIRO PASSO: PEGUE O SENTIMENTO E MENTALIZE UMA COR

Imagine que esse sentimento é palpável.

Pegue-o de onde ele está e o coloque na sua frente. Agora mentalize uma cor. Qual é a cor da sua rejeição? Não precisa pensar muito, ela é da primeira cor que vier à sua mente. Em geral, é uma cor escura.

Concentre-se e veja na sua mente de que cor é esse sentimento de rejeição.

QUARTO PASSO: ESFREGUE ESSE SENTIMENTO

Agora esfregue esse sentimento, como se o limpasse, até produzir uma cor clara. Se a cor era marrom, pode ser que, com a ação de esfregá-la, se torne um amarelo claro, como o sol do entardecer.

O importante é que você consiga fazer com que a sua cor mude para um tom claro, que lhe propicie paz.

Quando encontrar esse sentimento de paz, encaixe-o de volta no seu corpo, no mesmo lugar de onde retirou a rejeição.

Visualize essa nova cor tomando conta de seu corpo, sinta a sensação boa da rejeição ter ido embora.

Respire profundamente e fique com essa sensação instalada em seu corpo.

Você pode fazer isso quantas vezes quiser.

Parece muito simples, mas não julgue nem rejeite.

Experimente, porque é uma técnica poderosa que certamente vai fazer você reciclar o sentimento de rejeição.

Como você está se sentindo agora?

_____

_____

_____

_____

_____

_____

_____

_____

_____

_____

_____

_____

Se precisar, refaça o processo sem problemas. Hoje, amanhã e depois, sem julgamentos ou pressa de ser quem ainda não consegue ser. Sei que sua dor é legítima, mas agora você está no processo de cura dela.

"NOSSA REALIDADE É FEITA DE **maneira harmônica:** SE COISAS NOVAS ENTRAM, *outras saem*"

Que download você fez deste capítulo?

_____

_____

_____

_____

_____

_____

_____

_____

_____

_____

_____

_____

_____

_____

_____

_____

Se você estivesse em seu carrão numa estrada linda e atingisse um poste a 140 km/h, o que lhe aconteceria?

Com certeza um gravíssimo acidente, correndo o risco até de morrer.

Se você batesse o seu carro nesse mesmo poste a 10 km/h, o resultado seria outro, as consequências seriam outras. Óbvio? Calma! Veja o que quero dizer com isso.

Esse poste representa suas barreiras, seus pensamentos negativos e contrários aos seus desejos. Já a velocidade do carro é seu desejo ardente, seu sonho, sua vontade de ter, estar, ir, comprar, conquistar, construir.

Não importam o verbo e o desejo, mas sim a intenção e a força que eles carregam.

Deve ser horrível bater o carro em um poste, mas é horrível também manter seus sonhos em meio a tantos bloqueios, a tantas barreiras mentais.

Gosto muito da frase do Walt Disney que abre este capítulo. Ele foi um grande defensor dos sonhos e dizia que *"Se é possível sonhar, é possível realizar"*.

É a mais pura verdade.

Tudo o que existe hoje na sua vida começou na fantasia.

Quando eu era criança, fantasiava que um dia iria à Disney.

Nunca duvidei disso, mesmo sendo uma criança muito pobre, que trabalhava com o pai na feira, naquela realidade de escassez em que, embora nunca tenhamos passado fome, graças a Deus, muitas vezes faltava até o básico.

Mesmo assim, sempre acreditei que ir à Disney poderia ser real para mim.

E aqui está a prova disso!

Uma fantasia pode se tornar realidade a partir do momento em que você não duvida que ela seja real, pois, acreditando nela, você passa a vibrar na mesma frequência, e isso te conecta com o que já existe no mundo.

"Mas, William, não pode ser tão simples assim. Do contrário, todo mundo viveria feliz e realizado. Todo mundo teria a vida que sempre sonhou."

Na verdade, é simples, sim. Mas existe uma enorme diferença entre as pessoas que apenas imaginam e aquelas que conseguem cocriar a realidade. As que cocriam vão em frente e agem. Na cabeça delas, aquilo não tem como não existir.

> Neville Goddard acreditava que criamos a nossa realidade por meio da imaginação. Se quisermos modificar alguma coisa na nossa vida, temos de visualizar uma nova experiência.
>
> No entanto, Neville salientava logo em seguida que as imagens criadas pelo poder da imaginação não eram por si só suficientes. Duas outras coisas também são necessárias: sentir o resultado final e ter a sensação de que ele já está acontecendo.
>
> **Joe Vitalle, *A chave***

Acontece que a mente da maioria das pessoas não está programada para isso.

Pelo contrário. Nós somos programados para duvidar daquilo que não vemos.

Há todo um sistema de crenças vigente que nos impede de ver e fantasiar uma realidade diferente.

E o que é que nos faz mudar isso? A fé.

A fé é exatamente acreditar naquilo que não vemos, para que, acreditando, possamos um dia ter em mãos aquilo que antes era somente uma fantasia.

Eu já contei diversas vezes que comecei a estudar prosperidade e fui aplicando o que aprendia na minha vida.

Estudei Física Quântica e o funcionamento da mente, e juntei tudo isso à nossa parte espiritual, que é a fé, é o "acreditar, não duvidar".

> **"**
> Fé é acreditar no que não vê, a recompensa desta fé é ver o que você acredita.
> **Santo Agostinho**

Existem diversos futuros disponíveis.

Tudo já existe no Universo: seu carro novo, o namorado ou a namorada ideal, sua casa dos sonhos, o trabalho que você sempre quis.

Tudo já existe no mundo, porque já nasceu na fantasia.

Não pense em fantasia como mentira ou ilusão, mas como criatividade.

Porém, quando ainda não temos fé, quando nossa mente duvida, nosso sistema energético também duvida.

Então a nossa assinatura energética é de dúvida, e essa vibração não conecta com a realidade que queremos criar.

Para que as suas fantasias se tornem realidade, a primeira coisa que você deve fazer é se tornar o ator protagonista da sua própria vida.

Isso quer dizer que jamais pode duvidar e sempre precisa dizer à sua tela mental que aquilo que ela projeta é realidade.

Na segunda etapa, você precisa se enxergar vivendo, fazendo e experimentando aquilo que tanto deseja. Você precisa sentir que sua fantasia já é real. Existe toda uma teoria por trás desse exercício de fantasiar, e é isso que vou compartilhar com você agora.

Seja ator da sua própria vida

Para que as suas fantasias se tornem realidade, a primeira coisa que você deve fazer é ser ator da sua própria vida. Você precisa se ver fazendo o que sonha.

Quando eu tinha 17 anos, saí do interior de São Paulo e vim morar na capital para estudar Letras. Eu vim com uma mão na frente e outra atrás, como dizem, né? Tinha uma vida de muita escassez. Só que eu sempre soube que seria rico. Nunca duvidei disso.

Naquela época, eu comecei a fazer uma coisa que era justamente ser ator da minha vida. Eu colocava minha melhor roupa, aquela que fazia eu me sentir bem comigo mesmo, pegava o ônibus ou o metrô e ia ao shopping mais chique da cidade. Eu ficava andando entre aquelas pessoas ricas e tudo o que eu tinha no bolso era o dinheiro do cafezinho, que na época devia ser uns R$ 10, e já era muito caro para mim. Mas eu ia, me sentava naquela cafeteria, pedia meu cafezinho e ficava entre aquelas pessoas ricas, observando como elas viviam e, mais importante, me sentindo rico como elas.

Pense comigo: se você fica se lamuriando, invejando e se sentindo inferior porque ainda não tem o dinheiro que elas têm, não adianta nada, certo?

Não vai funcionar se você ficar pensando: *"Isso aqui é tudo mentira, não existe isso, não tem nada a ver, eu estou enganando a minha mente."*

Você precisa se ver fazendo aquilo.

É isso que significa ser ator da própria vida.

Não é uma mentira.

Você simplesmente informa para a sua tela mental que aquilo é realidade.

Eu lembro que queria muito ter um carrão. E o primeiro carro que comprei foi um Fiat Uno verde, 4 portas, que mais quebrava do que andava. No entanto, sempre que colocava meu Uno verde na garagem, eu mentalizava e sentia que estava estacionando o carrão chique e bonito que tanto desejava. Hoje esse carrão é a realidade que eu vivo.

Eu sou a prova viva de que é possível acessar tudo o que hoje parece muito distante.

Sim, eu sei que demorei 12 ou 13 anos para conectar com a minha nova realidade – mas eu não possuía as ferramentas que você tem agora.

Não pude contar com um livro como este para me fornecer um passo a passo. Eu usava a minha intuição, fazia diversas pesquisas e buscava inúmeros mestres.

Mas para você está tudo bem explicadinho aqui nesta obra.

A dica é: vá fazer o que você quer.

Ou pelo menos chegue o mais perto possível disso. Viva a sua fantasia pelo menos uma vez por semana.

66 EU NÃO CONSEGUIRIA TE ENSINAR ISSO se não tivesse funcionado comigo 99

Vamos imaginar que você é enfermeiro e que a sua fantasia, o seu sonho, seja trabalhar num hospital específico.

A primeira coisa que você deve fazer é ir ao hospital (não precisa ser com seu uniforme de enfermeiro).

Fique por lá, ande pelos corredores. Sente-se como se estivesse esperando alguém. Observe como os enfermeiros de lá se comportam, como a chefe de enfermagem trabalha, como os pacientes entram, são tratados e como saem de lá. Respirar aquele ar e sentir a energia do lugar já vai aproximar a sua vibração da frequência que conecta com essa nova realidade.

Num próximo passo, você pode começar a perguntar para as pessoas como fazer para trabalhar lá, talvez possa conhecer e conversar com alguém do RH.

> **" SEJA ATOR DA SUA VIDA uma vez por semana E VOCÊ VAI VER A SUA fantasia se transformar em vibração "**

Agora, há um ponto fundamental para você finalizar o exercício de ser o ator da sua vida: a gratidão.

Todo processo de ajuste mental pode ser resumido ao sentimento de gratidão, que é o que nos conecta com a nossa fonte de suprimentos.

Então, quando você estiver saindo do hospital em que ainda não trabalha, como deve agir? Você vai sair derrotado? Vai sair pensando: *"Isso é inútil e nunca vai dar certo"*, *"Seria tão bom, mas não é verdade"*? Não! Você não vai pensar nada disso.

Ao sair do hospital, você vai agradecer por aquele lugar existir, por aquele emprego ser possível, por ter tido a chance de estudar, se formar e poder entregar seu currículo ao setor de RH. Todo o exercício consiste em agradecer pelas coisas que já existem e por tudo que você já passou e já fez.

Walt Disney, quando fantasiou o parque, já sabia o que queria. Eu, quando sonhava ir para a Disney, já me via tirando o passaporte, conseguindo o visto, pegando o avião e, enfim, abraçando os personagens. Quando cheguei lá, aquela era minha segunda vez na Disney, porque a primeira tinha acontecido na minha mente!

A pergunta-chave: eu sou capaz?

Você já entendeu como isso funciona na prática, mas agora preciso jogar um pouco de teoria nesse bolo. Eu quero que você se faça uma pergunta: *"Eu sou capaz de fazer isso?"*.

Vamos retomar um exemplo que já usei aqui: a pessoa de 70 anos que quer ir para a Lua. Olha, eu não acho que sonhos tenham limite de idade, mas, se para ir à Lua a pessoa precisa se preparar durante 10 anos, começar aos 70 pode não ser viável. Será que a NASA mandaria alguém de 80 anos para a Lua? Será que seu corpo físico aguentaria a viagem? Entende? A pergunta que você deve se fazer é: *"Eu realmente sou capaz de fazer isso?"*.

Se não houver um impedimento real, mesmo que ainda não saiba como as coisas vão acontecer, você precisa ser capaz de dizer com força e determinação: *"Sim, eu posso!"*.

Veja bem, você pode não conseguir ir à Lua aos 80 anos. Mas você ainda pode dirigir um carrão. Você ainda pode encontrar um grande amor. Você ainda pode comprar a casa dos seus sonhos. Você ainda pode viajar para a Disney e ainda pode realizar e conquistar muitas outras coisas.

Antes de publicar meu primeiro livro, recebi muitos nãos de editoras. Eles me diziam: *"Você não é ninguém. Quem é que vai comprar o seu livro? Ninguém sabe quem você é"*.

Mas eu dizia para mim mesmo: *"Eu posso!"*. Na minha cabeça, já tinha escrito o livro, já sabia o título, já sabia quem ia comprar, como seria o evento de lançamento e até a roupa que eu ia usar.

Na época, eu disse assim para a editora que publicou meu primeiro livro: *"Se você lançar meu livro e ninguém comprar, eu compro tudo."* Claro que eu não tinha dinheiro.

Ia ter que fazer um empréstimo, mas precisava passar confiança.

Eles publicaram 500 livros e eu assinei um contrato que dizia que, se não vendesse, eu assumiria o prejuízo.

Sabe o que aconteceu? Eu vendi todos os livros no lançamento!

No dia do lançamento! E a editora decidiu fazer a segunda edição na mesma semana. Isso só foi possível porque eu acreditava.

Eu sabia que já era uma realidade.

Transformando fantasias em fatos

> O que quer que desejas, quando orar, acredite que os receba e você os terá.
>
> **Marcos 11:24**

É essencial você fantasiar, vibrar na frequência do seu sonho e se perguntar se é capaz.

Mas como é que as fantasias realmente se concretizam na nossa vida? É quando você as transforma em objetivos. Somente depois de transformar o que deseja em um objetivo, você vai conseguir chegar à etapa em que sua fantasia se torna um fato, ou seja, ela acontece de verdade na sua vida.

Se eu dissesse hoje que quero correr e vencer a São Silvestre, essa fantasia ia esbarrar na pergunta-chave:

"Eu sou capaz?" Eu sei que hoje não consigo vencer a São Silvestre porque não consigo nem correr do meu escritório para o meu apartamento. Só que, se eu tornar isso um objetivo e dividi-lo em pequenas metas, como vimos no início deste livro, então a fantasia se torna possível.

Tudo é questão de preparação.

A nossa mente é como um jardim. Sempre que temos uma fantasia, um sonho, nós o plantamos no jardim da mente. Mas, entre o momento da plantação e o momento em que a flor desabrocha, existe algo que se chama tempo. As coisas precisam de um tempo para acontecer.

E você não pode desistir enquanto isso.

Se eu for uma vez ao shopping chique e acreditar que só isso vai me tornar rico, não vai funcionar. E também não vai funcionar se eu for todos os dias e, quando voltar para a minha casa, ficar de braços cruzados sem fazer nada.

É preciso colocar em ação. Eu mesmo, por exemplo, fiz quatro faculdades, me especializei, fiz um curso atrás do outro, fiz intercâmbio, fui estudar em outros países.

Você precisa se movimentar para que esteja no nível de cocriação da realidade. Ninguém aqui está dizendo para você sentar a bunda no sofá e achar que as coisas vão acontecer sozinhas, que vão cair do céu.

Milagres existem, sim.

Mas, para acontecerem, eles precisam de ação. E a ação é a fé em movimento.

Quando publiquei meu primeiro livro, entre a ideia e o fato, houve uma ponte de intenso trabalho, de muita preparação para escrever aquele texto e a editora publicar. Não foi num piscar de olhos só porque achei que ia vender para os meus alunos. Foi porque eu já tinha estudado Letras, Pedagogia, Psicopedagogia e já era professor universitário.

Eu fui me preparando para os meus sonhos.

E você precisa se preparar para os seus.

Que download você fez desse capítulo?

_____

_____

_____

_____

_____

_____

_____

_____

_____

_____

_____

_____

_____

_____

Capítulo 16

CENTRAL DE PEDIDOS DO UNIVERSO

"Palavras... São usadas para nos fazer rir ou chorar. Podem ferir ou curar. Oferecem-nos esperança ou desolação. Com palavras, podemos expressar nossas intenções mais nobres, e também nossos desejos mais profundos."

Tonny Robbins, *Desperte seu gigante interior*

Até aqui, você já compreendeu que a Lei da Atração funciona sempre, o tempo todo, para todo mundo.

Só que, mesmo assim, ainda há pessoas que duvidam disso.

Nós temos uma forte tendência a acreditar apenas nas coisas que já vivenciamos.

Então, se você vivenciou situações difíceis, a sua inclinação é acreditar em coisas mais difíceis ainda.

Se você viveu experiências de muitos nãos, se as pessoas te rejeitaram, se no passado você passou por momentos em que, por mais que tenha tentado alguma coisa, não conseguiu sucesso, essas experiências foram as que ficaram mais fortes.

Elas se tornam o seu sistema pessoal de crenças.

Contudo, quando você está livre dos sentimentos negativos, o que sobra é a Consciência Infinita de que você é e de que sua vida será completamente espetacular.

O que são as crenças limitantes?

Tenho que te falar um pouco sobre isso, antes de seguirmos: uma crença é algo em que acreditamos com muita força.

São pensamentos e interpretações falsas que tomamos como

verdades absolutas. O problema é que essas percepções regem toda a nossa maneira de ver a vida.

Quando nascemos, não temos nenhuma crença.

É como se nosso computador mental estivesse completamente vazio.

Com o tempo, vamos experimentando e ouvindo coisas repetidamente, e esse padrão de repetições vai se instalando no nosso inconsciente, tornando uma verdade inquestionável.

EXISTEM TRÊS TIPOS DE CRENÇAS:

1. CRENÇAS HEREDITÁRIAS

Com frequência, as nossas crenças têm origem na nossa própria família. Nosso pai e nossa mãe só podem nos apresentar a vida a partir da experiência deles, que, por sua vez, aprenderam tudo com a experiência de nossos avós.

Se você vem de uma família em que todos são pobres, provavelmente teve seus sonhos de riqueza limitados, porque "isso não é para você". Nossos pais, avós e demais antepassados não fazem isso porque são maus. Eles estão dando o melhor deles, estão fazendo o melhor que podem, dentro de suas limitações.

2. CRENÇAS SOCIAIS

O segundo tipo de crença é aquele que a própria sociedade coloca na nossa cabeça. Quantas vezes você ouviu que não deve confiar nas pessoas? Que o mundo é muito perigoso? Que não vão te aceitar porque você é desse ou daquele jeito? Muitas vezes, se você prestar atenção ao que diz, vai perceber que está apenas reproduzindo frases que ouviu na televisão ou que todo mundo diz: *"Ninguém enriquece licitamente no Brasil"*, *"Gente rica não tem coração"*, e mais um monte de outras bobagens assim.

3. CRENÇAS PESSOAIS

Por fim, o terceiro tipo de crença – o mais forte – são as crenças pessoais. Essas são as mais difíceis de quebrar porque você mesmo as instalou na sua cabeça.

Você fica repetindo para si mesmo que não consegue e prova isso com exemplos de experiências passadas: uma traição, um tapa na cara, uma porta batida, uma falta de atenção. Tudo isso constrói experiências pessoais muito fortes.

E então, em vez de focar em todas as vezes em que tentou e conseguiu, você se concentra justamente no que deu errado.

Por que nós duvidamos?

Todas essas crenças que colocaram na nossa cabeça (e nós mesmos contribuímos para isso) nos afastam da nossa capacidade de fantasiar.

Por exemplo: se você começa a fantasiar com um bom relacionamento, com um homem companheiro ou uma mulher parceira, mas viveu uma experiência de traição no passado, imediatamente vem uma voz na sua mente que diz: *"Os homens são todos iguais, esse vai te trair igual àquele outro." "As mulheres são interesseiras e, na primeira oportunidade, essa daí vai te trocar por um cara mais rico."*

Ou seja, essa crença te puxa para trás e limita a sua fantasia. E se você não fantasia, se não sente a fantasia, não sintoniza essa vibração boa.

Consequentemente, permanece na vibração da dúvida.

Ligar, escolher, receber

Você precisa entender que está constantemente diante da Central de Pedidos do Universo, sempre disposta a te dar tudo o que você sonhar.

Preste muita atenção nos três verbos que vou explicar na sequência. Em todos os livros sobre Lei da Atração que já estudei, esses três verbos estão sempre presentes. Às vezes com outra roupagem, como **peça**, **acredite** e **receba** ou **peça e será atendido**. São muitos nomes para a logística da atração.

Imagine que você está em casa, não tem comida nem nada para cozinhar, ou apenas deu vontade de comer algo diferente. O que você faz? Pega o telefone (uma forma mais tradicional aqui, tá?), liga para o restaurante, escolhe o que quer comer, e então recebe o pedido em casa.

Você pode fazer exatamente a mesma coisa com o Universo.

É ligar, escolher e receber. Não tenha dúvida disso.

Aí você pode dizer agora: *"Mas, William, eu não queria isso que eu tenho na minha vida."*

Queria, sim. De alguma forma, você se conectou a isso. Já vimos que é tudo energia, e a sua energia vibra na frequência que faz essas coisas se tornarem um fato na sua vida.

Inconscientemente, as suas crenças fizeram você se conectar com o amigo-da-onça que te enganou, com o seu sócio que te roubou, com aquele cara que te traiu.

Foi todo o seu sistema de paradigmas e crenças que fez isso, pois o Universo está disposto a nos dar tudo o que queremos.

Para que você seja mais assertivo com os seus pedidos, vou te mostrar a roda da vida, que vai te ajudar a organizar seus objetivos com os campos separadamente.

A RODA DA VIDA

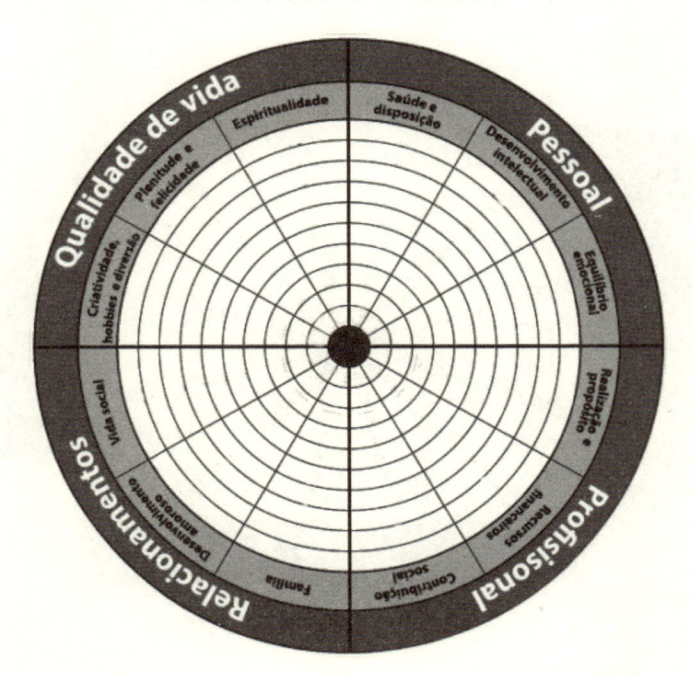

Essa é a roda da vida. Como você pode ver, ela está dividida em doze partes, que são doze aspectos de quatro áreas da sua existência. Agora nós vamos ver cada uma dessas áreas e como fazer pedidos claros para cada uma delas.

Para começar, escreva três pedidos para cada campo da sua vida.

Use a caneta, mas use também a sua imaginação energizada com sua fé na certeza.

Se estiver com preguiça, não faça!

Como você quer rapidez do Universo, não ouse pedir com desdém, dúvida ou preguiça.

Não é assim que se vai para a vida, de forma alguma.

Também não se limite com as linhas que coloquei aqui no livro – o espaço é limitado, mas sua mente e seus desejos não.

Se quiser, pode pegar folhas extras para fazer isso.

Lembre-se do que já estudamos: os detalhes são importantes.

Você está diante de uma central de pedidos.

Por fim, é primordial saber o que vai pedir e determinar.

> **"**
> O mundo é a imaginação humana lançada para fora.
> **Neville Goddard**

Por exemplo, lá no campo pessoal, quando falamos de equilíbrio emocional, o que seriam três pedidos claros?

"Eu quero dormir melhor" não é claro o suficiente.

Você pode dizer: *"Quero dormir por oito horas seguidas, sem acordar no meio da noite, ter um sono bem relaxante e restaurador, para acordar disposto".*

Isso, sim, é clareza!

No campo profissional, por exemplo, na parte de recursos financeiros, você pode pedir quanto quer receber por mês.

Quanto é que muda a sua vida? É 5 mil, 10 mil, 20 mil, 30 mil? Quanto você quer receber por mês? Então, para cada um dos campos, você vai escrever três pedidos.

Só que precisam ser pedidos reais, lembra? Eles podem entrar na fantasia, mas precisam passar pelas perguntas-chave:

" Isso é possível? Eu sou capaz?"

Se você escrever, por exemplo, que quer fazer R$ 200 mil por mês.

Isso é possível? Como é sua empresa? Qual é a estrutura do seu negócio? Que produtos você vende ou que serviços oferece? Quantas horas por dia você está disposto a trabalhar?

Você deve fazer os pedidos com calma e pés no chão.

Para fazer o pedido na Central do Universo, não pode ter pressa!

Essas coisas vão se concretizar e tenho certeza de que, depois de um tempo, quando você voltar aqui e reler seus desejos, ficará com a expressão de surpresa ao perceber que já tem em mãos o que registrou aqui um tempo atrás.

A primeira área é a pessoal

SAÚDE E DISPOSIÇÃO

DESENVOLVIMENTO INTELECTUAL

EQUILÍBRIO EMOCIONAL

A segunda área é a profissional

REALIZAÇÃO E PROPÓSITO DE VIDA

RECURSOS FINANCEIROS (DINHEIRO QUE ENTRA PARA VOCÊ)

_____

_____

_____

_____

_____

_____

_____

_____

_____

_____

_____

_____

_____

CONTRIBUIÇÃO SOCIAL (DINHEIRO QUE SAI DE VOCÊ PARA O UNIVERSO)

_____

_____

_____

_____

_____

_____

_____

_____

_____

_____

_____

_____

_____

_____

_____

_____

A terceira área são os relacionamentos

FAMÍLIA

_____

_____

_____

_____

_____

_____

_____

_____

_____

_____

_____

_____

_____

_____

_____

RELACIONAMENTO AMOROSO

VIDA SOCIAL

E, por último, a quarta área é a qualidade de vida

CRIATIVIDADE, HOBBIES E DIVERSÃO

PLENITUDE E FELICIDADE

ESPIRITUALIDADE

Que download você fez deste capítulo?

_____

_____

_____

_____

_____

_____

_____

_____

_____

_____

_____

_____

_____

_____

_____

_____

_____

Capítulo 17

PEDIDOS atendidos

"O sucesso é a soma de pequenos esforços, repetidos com regularidade."

Robert Collier

Antes de qualquer coisa, saiba que sentimentos negativos ganham ainda mais energia quando acreditamos que somos um sentimento negativo.

Neste capítulo, quero te contar mais um segredo – o 2º da caixa-preta humana: o sentimento de não merecimento, responsável por não permitir que as coisas cheguem até você.

Podem existir muitas bênçãos em seu caminho, mas se você não se sente merecedor daquilo, o Universo te respeita.

Tenha consciência de que ele te respeita. Se você não se sente merecedor de um relacionamento saudável, de uma casa mais aconchegante, de uma grande viagem ou de um emprego bacana, o Universo te respeitará!

> **As emoções intensas aumentam a velocidade da Lei da Atração.**
>
> **Joe Vitalle, *A chave***

Você é um ser ilimitado, então, quando pensa e sonha grande, entra em consonância com o Universo – que é abundante e próspero. Por outro lado, se, ao longo de sua vida, você é impregnado com verdades absolutas equivocadas sobre dinheiro, você se torna um ser limitado.

E se você achar que não merece, o Universo vai te respeitar!

O que estou te dizendo é que, quanto mais sentimentos elevados, como alegria, gratidão e amor, mais chances você tem de cocriar a realidade que deseja.

Sentimentos ruins e emoções inferiores, como não merecimento, também são capazes de cocriar, mas não da forma acelerada e positiva como você espera.

O Universo não manifesta seus desejos conscientes quando você está no negativo.

Ele entende sua vibração e te manda mais situações iguais.

Imagine que você decidiu caminhar quatro vezes na semana para melhorar sua saúde.

Você pode fazer isso com dois estados de ânimo.

O primeiro é o de alegria e gratidão. O outro é você sair de casa pensando: *"Que droga! Detesto caminhar, mas o médico mandou porque estou prestes a ficar diabético, e agora tenho que fazer essa porcaria!".*

Que tipo de energia você acha que vai trazer mais resultados positivos?

Você precisa se esforçar para se manter positivo, com amor, alegria e gratidão, pois, assim, mais disso será trazido até você.

> **"QUEM NÃO SE VALORIZA dificilmente alcança sucesso na vida"**

Como é bom ter a chance de receber bênçãos em nossas vidas, mesmo que não sejam exatamente aquelas que criamos em nossa mente, para chegarmos mais longe, em outro degrau.

A beleza disso tudo é conseguirmos valorizar esses passos que nos guiam até a realidade que queremos.

A vida nos traz tantos benefícios, mas, quando estamos envoltos no sentimento de não merecimento, não sabemos enxergar esses privilégios ou, se enxergamos, automaticamente os recusamos por não acreditar que merecemos.

Atenção: a prosperidade e a abundância, em qualquer campo de sua vida, existem dentro e fora de você, porém, a sua manifestação só virá quando você acreditar que tem direito a elas!

Durante meus ricos anos de atendimento em consultório, ouvi inúmeras pessoas dizendo que queriam uma vida mais próspera e abastada, a fim de conquistar mais dignidade e até liberdade para serem quem gostariam de ser! A pergunta que eu sempre fazia a elas era: *"Você realmente acredita que pode ter o que deseja?".*

Depois de um tempo pensando, elas respondiam: *"Claro que mereço, William! Está maluco? Ralo de trabalhar, sou boa pessoa, por que não mereceria?".*

Assim, acabavam por entender que se realmente sentissem o merecimento daquilo, já o teriam alcançado.

Todos nós temos muitas maneiras de programar nossa mente e alcançar tudo o que almejamos, mas por vezes a sensação de preservar o que vamos conquistar nos enche de medo, criando uma sabotagem naquela bênção que estava a caminho.

Por seu turno, uma pessoa que não se considera vítima sente-se parte integrante da natureza. Ela enxerga a vida como uma grande aliada, desenvolve uma autoestima satisfatória e valoriza seu corpo e suas emoções – que irão cocriar a sua realidade. Ela sente que a vida está pronta para lhe dar tudo que é importante para seu crescimento, jamais limita o ilimitado e acredita sempre no melhor.

"QUE ROUPA VOCÊ VESTE *para ir em direção* aos seus sonhos?"

É a roupa de alguém conectado a Deus, à Natureza, à Vida, ao Universo, enxergando dentro de si capacidades, habilidades e virtudes?

Ou é a roupa de quem se considera tão pequenininho que não merece o melhor?

Ou será a vestimenta daquele que finge para si mesmo que merece, argumenta e busca provar o que na verdade não quer enxergar, ou seja, que alimenta medo, apego e vaidade, o que consequentemente o impede de ver a realidade do não merecimento e assim alterá-la?

Seja sincero: você já pensou em viver sem limitações, sem carências, de maneira abundante e natural?

Vamos parar um pouquinho para analisar os padrões de pensamento impregnados em nós durante toda a vida, que nos dizem que não somos merecedores da fartura que a vida é.

Você já deve ter ouvido falar que algumas pessoas só se deram bem na vida por que nasceram em famílias privilegiadas, certo? A essa altura, penso que você já não acredita mais nisso, não é verdade?

Você também já ouviu que só quem merece as dádivas da vida é quem já sofreu muito, quem já batalhou demais, concorda? Ou a pior de todas: *"Se Deus quiser! Está nas mãos dele!"*.

A nossa mente tem uma incrível capacidade de distorcer o verdadeiro, pois está inundada das famosas crenças limitantes e, assim, cria a nossa realidade com base na distorção do que o Universo traz como leis.

Quando aceitamos essa dependência externa, os outros é que comandam nossa vida, fazendo com que não desenvolvamos nossas capacidades, nos impedindo de usar nossas habilidades interiores para criar resultados mais benéficos.

Com toda essa pressão externa que fazemos questão de aceitar como realidade, nos revoltamos, nos sentimos presos, culpados, perfeccionistas, pessoas extremamente medrosas e o pior: punitivas.

Quando cedemos a essa pressão externa, nos distanciamos do que é o nosso eu em essência, do que realmente viemos para ser.

Indo contra essa essência, é muito comum as pessoas alimentarem frequências do *"eu não sou bom o suficiente"*.

Mas ocorre que o conceito do melhor sempre esteve em nós!

A nossa alma gosta do que é belo, do que é abundante.

Essa noção de melhor sempre esteve com o ser humano, porque é inerente à nossa natureza.

Ninguém escolhe o pior.

Você sempre escolhe o melhor; mesmo quando opta por agir com crueldade em determinadas circunstâncias, é porque pensa que seja o melhor caminho no momento. Quando você briga, xinga e toma atitudes que levam ao sofrimento, você ainda assim está acreditando que é a melhor solução. Faça uma experiência agora: repita em voz alta ou mentalmente "eu sou bom, eu sou perfeito".

Repare na voz que surge dentro de você, aquela vozinha que você bem conhece.

O que ela diz? Ela concorda com você? Ótimo, você já se aceita como é, com suas habilidades e limitações!

"Mas, William, ela discorda de mim, não me sinto bom o suficiente mesmo!"

Bem, neste caso parece que nem você mesmo se dá valor. A voz possivelmente esteja dizendo coisas do tipo: *"Você se acha bom e perfeito? Que presunção! Você conhece muito bem os seus defeitos e tudo o que já fez na vida. Você sente inveja, só olha para o seu umbigo, é crítico com os outros, você poderia ter ajudado e não ajudou. Como você pode achar que merece algo de bom?".*

Percebe que seu subconsciente está carregado de um *mindset* de não valorização por você mesmo?

O que quero te mostrar com isso é que, todas as vezes em que você tenta instalar um novo *mindset* em seu subconsciente, imediatamente ele traz para o consciente os seus velhos padrões, instalando um conflito.

É a tal da vozinha...

Vou te dar um exemplo para ficar bem simples de entender: o seu novo programa com relação ao dinheiro afirma que ele flui facilmente na sua vida, mas o anterior dizia que ter dinheiro é difícil, pois depende de muita luta e trabalho, em suma, é preciso ralar para conseguir alguma coisa.

O subconsciente traz à consciência esse velho padrão para você optar entre um dos dois, para decidir qual padrão vai receber seu foco e atenção.

O funcionamento é exatamente o mesmo para qualquer tipo de padrão de pensamento que você esteja querendo mudar.

Você tem duas opções: seguir essa voz que surge na sua cabeça e que emperra sua vida, ou instalar e treinar um padrão que possibilita crescimento e progresso. Você quer continuar pensando que as mudanças são difíceis e que é preciso sofrer muito para mudar?

Eu acredito que não, porque você está aqui comigo nesta leitura!

> **66 VOCÊ SE TORNA AQUILO que mais pensa, E A MANEIRA COMO você se trata É A MANEIRA COMO OS OUTROS irão te tratar também"**

Você pode se considerar vítima em algumas áreas da vida e em outras, não. Nas que você se assume como vítima, os acontecimentos ficam emperrados e a Lei da Atração parece ficar completamente bloqueada, mas quando você se valoriza, se dá apoio e se sente merecedor, as oportunidades aparecem sem obstáculos. A vida flui e parece que algo mágico aconteceu, mas a magia foi você se valorizar e aceitar sua essência com o belo e o abundante!

Neste momento, visando reprogramar o seu padrão mental para a frequência do merecimento, coloque uma música em alta frequência, respire fundo, esteja relaxado e feliz consigo mesmo e repita estas afirmações sentindo muito amor e verdade:

Estou aberto a novas ideias.

Sou flexível, posso mudar minha forma de pensar.

É seguro ser eu mesmo.

Não preciso ser perfeito.

Eu me aceito do jeito que sou.

Eu sou bom por natureza.

Por isso, eu mereço o melhor.

Eu mereço ser próspero em tudo.

As boas oportunidades de trabalho e negócios
chegam na minha vida agora, porque eu mereço.

Eu mereço o melhor sempre.

Sou feliz por ser inteligente e usar a inteligência
a meu favor para conquistar tudo que mereço.

Eu mereço, permito e quero o melhor
em minha realidade.

Eu mereço ter muito dinheiro.

O dinheiro é para mim.

Dinheiro vem fácil na minha mão.

Ele sempre vem parar na minha mão.

É muito fácil ganhar dinheiro.

Sei fazer bom uso do dinheiro.

É seguro ter dinheiro.

A vida me abastece com tudo que preciso.

Bem-vindo ao mundo espiritual dos ricos!

Neste exato momento, não fique se perguntando o que o mundo precisa ou qual caminho você deve seguir.

Você já tem a consciência de que sentimentos aparecem e desaparecem, e que é você que está consciente do momento em que eles aparecem e desaparecem.

Pergunte para você mesmo agora: o que te faz feliz?

A resposta é o caminho que você deve seguir, pois o mundo precisa de mais pessoas felizes.

Não tenho vergonha de dizer que gosto de dinheiro, pois, sem ele, eu não conseguiria ter saído de uma realidade dura de pobreza para a realidade que vivo hoje e que é tão natural para mim. Sem ele, não poderia ter ajudado minha família toda, proporcionado a melhor moradia, o melhor acesso à saúde e os melhores estudos. Sem dinheiro, não se promove a ciência, a arte, a educação. Quase tudo se torna inviável sem dinheiro.

"Mas o que é o dinheiro? Falam que é uma energia... me explica isso direito!" O dinheiro é um símbolo que representa certa importância ou valor.

Sendo assim, ele é a representação externa do sentimento de valorização. Muitas pessoas acreditam que o dinheiro é sinônimo de tentação, que pode ser a raiz de diversos males ou até ser o causador de tragédias.

No entanto, existem também infinitos dramas causados por ciúme, ódio, raiva, inveja, orgulho e desequilíbrios emocionais de toda espécie, mas é no dinheiro que descarregam o mau uso que fazem dele.

Vamos parar agora de sermos injustos com o dinheiro!

Bem direcionado, ele constrói coisas belas, proporciona cuidado, amor, esperança e segurança. A forma de usar o dinheiro é que faz a diferença. A faca, por exemplo, é um instrumento muito útil, mas pode ser usada para cortar alimentos ou para matar, dependendo de quem a usa. A faca é sempre inocente. O ser humano é o responsável.

Já falei das pessoas que acreditam que ganhar dinheiro só é possível com luta e sacrifício.

Como cada um tem crenças diferentes em relação à entrada e à saída do dinheiro, os resultados serão diversos.

Por isso, a mesma quantidade de dinheiro não rende de forma igual para todas as pessoas.

Lembro muito bem que, quando eu era professor universitário, todos os meses, no dia do pagamento, tinha um colega meu que falava: *"E aí, já caiu na conta o sofrido?"* Isso mesmo: o sofrido!

Ele associava o trabalho dele e o dinheiro abençoado que vinha até suas mãos todos os meses a sofrimento!

E adivinha o que acontecia: eu, com o mesmo salário que ele, trocava de carro, conseguia ter acesso a boas formações acadêmicas, vivia em um apartamento bacana, enquanto ele estava sempre atolado em dívidas, com um carro que vivia dando problemas e sem acesso a nenhuma facilidade que o dinheiro traz.

O dinheiro dele era sofrido, já o meu era abençoado!

Ainda existem aqueles que estão sempre sem dinheiro, embora tenham uma boa renda mensal – inclusive enxergam outros com uma renda inferior vivendo bem e fazendo o dinheiro sobrar.

Eu gosto de fazer e gastar dinheiro e sei fazer bom uso dele, por isso não me preocupo em gastar, porque não tenho a ideia de que estou perdendo dinheiro, mas ajudando a minha prosperidade e a dos outros.

Quando eu contrato um mecânico, por exemplo, estou ajudando a prosperidade dele, do vendedor das peças, do motoboy que entrega as peças na oficina, do lavador do carro e, assim, o dinheiro faz seu fluxo natural – e eu o mereço!

Tenha confiança na vida e em suas habilidades para dispor do dinheiro com a certeza de que nunca vai te faltar.

Todo pensamento mesquinho gera falta: de amor, de dinheiro, de saúde, de harmonia na vida.

Quando estamos cheios de velhos programas negativos sobre nosso real merecimento, dificilmente atraímos abundância em qualquer área da vida.

É preciso abrir-se para aceitar novas crenças, senão o dinheiro será sempre minguado.

Se você estiver sempre aberto para o dinheiro, se sentir que pode tê-lo, ele virá para você, porque isso é natural.

Não ter dinheiro é que é antinatural.

CHECKLIST DO
não merecimento

Você acredita e sente que:

( ) Você não é muito inteligente.

( ) Você só pode ter sucesso se...

( ) É preciso muito trabalho e pouco prazer.

( ) Viver é lutar.

( ) Você é um azarado.

( ) Você não pode ser feliz enquanto os outros sofrem.

( ) O sucesso é para quem nasce em família privilegiada.

( ) A felicidade não é desse mundo, somente as dores e injustiças.

( ) Os outros precisam mudar para que as coisas comecem a dar certo em sua vida.

( ) Os outros sempre são melhores do que você.

( ) Você é sempre vítima de invejas.

( ) Você nasceu na família errada.

( ) Ninguém gosta de você.

( ) As pessoas são falsas.

( ) Você não tem sorte nenhuma.

( ) O amor não é para você e você sempre encontra argumentos para isso: sou muito sincero, muito feio, desajeitado ou muito independente.

( ) Sempre que recebe algo já pensa em dar outra coisa em troca.

( ) Não tem confiança em si mesmo e nas próprias capacidades.

( ) Está com constante medo de errar.

( ) Se sente incapaz de se alegrar com elogios recebidos ou vitórias alcançadas.

( ) Sente insegurança extrema.

( ) Apresenta baixo desempenho em tarefas que antes eram feitas com facilidade.

( ) Quando realiza algo bom, acha que somente aconteceu porque era fácil e qualquer pessoa poderia fazer igual ou melhor.

( ) Você sempre tem um plano B para quando tudo der errado.

( ) Você só valoriza o que deu errado, não trata os erros como parte natural de qualquer caminho.

Quantos pontos você marcou? _____

A síndrome do impostor

Como já sabemos, a pessoa que não reconhece seu valor e não se sente merecedora faz de tudo para corroborar essa verdade absoluta que tem dentro de si, e até desenvolve o que na psicologia clínica chama-se a síndrome do impostor.

Nesse caso, a bênção chega até a pessoa, mas o sentimento de não merecimento está tão impregnado dentro dela, que ela acaba agindo e experimentando sentimentos angustiantes que tornam penoso manter aquela realidade já conquistada.

Ela sofre a bênção!

Na síndrome do impostor, a pessoa não consegue perceber o valor das suas ações e habilidades. Ela permanece alerta, num estado constante de medo de ser exposta como uma fraude!

Apesar de suas habilidades serem notórias a qualquer um, a pessoa que sofre da síndrome do impostor acredita sempre que os outros são melhores. Em alguns casos, ela entra em comparação ou acha que os outros superestimam as capacidades deles.

A pessoa tem uma autoestima tão baixa, que julga os outros por ela mesma ou acaba se diminuindo diante deles.

Nesse contexto, qualquer prova de sucesso é vista como um golpe de sorte, um bom timing ou resultado de truques e mentiras.

As pessoas que sofrem dessa síndrome sempre colocam a responsabilidade do sucesso em algo externo a elas.

Elas não conseguem nem enxergar a vitória que conseguiram e, quando a enxergam, são incapazes de se recompensar por isso!

Quem sofre com o não merecimento esconde o que tem de melhor, se contentando com uma vida medíocre quando na verdade nasceu para o sucesso e a abundância.

Normalmente, nos sentimos uma fraude quando pensamos que somos mais importantes do que na verdade somos. Quando você se sente uma fraude, você busca uma perfeição que nunca existiu de fato.

Por isso, abandone os pensamentos que superestimam sua importância e seja humilde! A humildade é se ver exatamente como você é.

Nem mais, nem menos. Às vezes, nos colocamos numa posição em que acreditamos que todos os olhos estão virados para nós.

Mas isso não é verdade. Não somos o centro do mundo!

Somos o centro do nosso mundo, mas não do Universo. A insegurança é um estado emocional também causado pelo sentimento de inferioridade.

A pessoa insegura acredita que não é boa o suficiente para realizar determinada tarefa ou para ser amada, aceita e reconhecida pelos outros.

Isso porque quem é inseguro sempre acha que as outras pessoas são superiores, que merecem ser mais amadas e que alcançam melhores resultados.

Alguma vez você conheceu alguém que te fez se sentir inferior, talvez até um verdadeiro farrapo, enquanto você achava essa pessoa o máximo que poderia desejar ser na vida? Com certeza sim.

O mais curioso de tudo isso é que, por trás dessa atitude de segurança e grandiosidade, costuma existir uma pessoa insegura.

É muito comum que a pessoa insegura esconda seus medos e temores por trás de uma falsa atitude de segurança, que passa por fazer com que os outros se sintam inferiores.

Isto não é falta de humildade, mas complexo de inferioridade.

As pessoas que se sentem inferiores procuram compensar esse sentimento por meio do que chamamos de luta pela superioridade.

Essas pessoas não sentem que possuem o suficiente para serem afortunadas.

Elas se sentem inseguras, mas definem para si metas muito elevadas, com prestígio e que certamente não poderão alcançar, no intuito de adquirir uma notoriedade diante dos outros que as suas conquistas atuais não lhes dão.

Dessa forma, mostram sua superioridade por meio de metas supostamente superiores, que acabarão reforçando a sua insegurança ao não serem alcançadas.

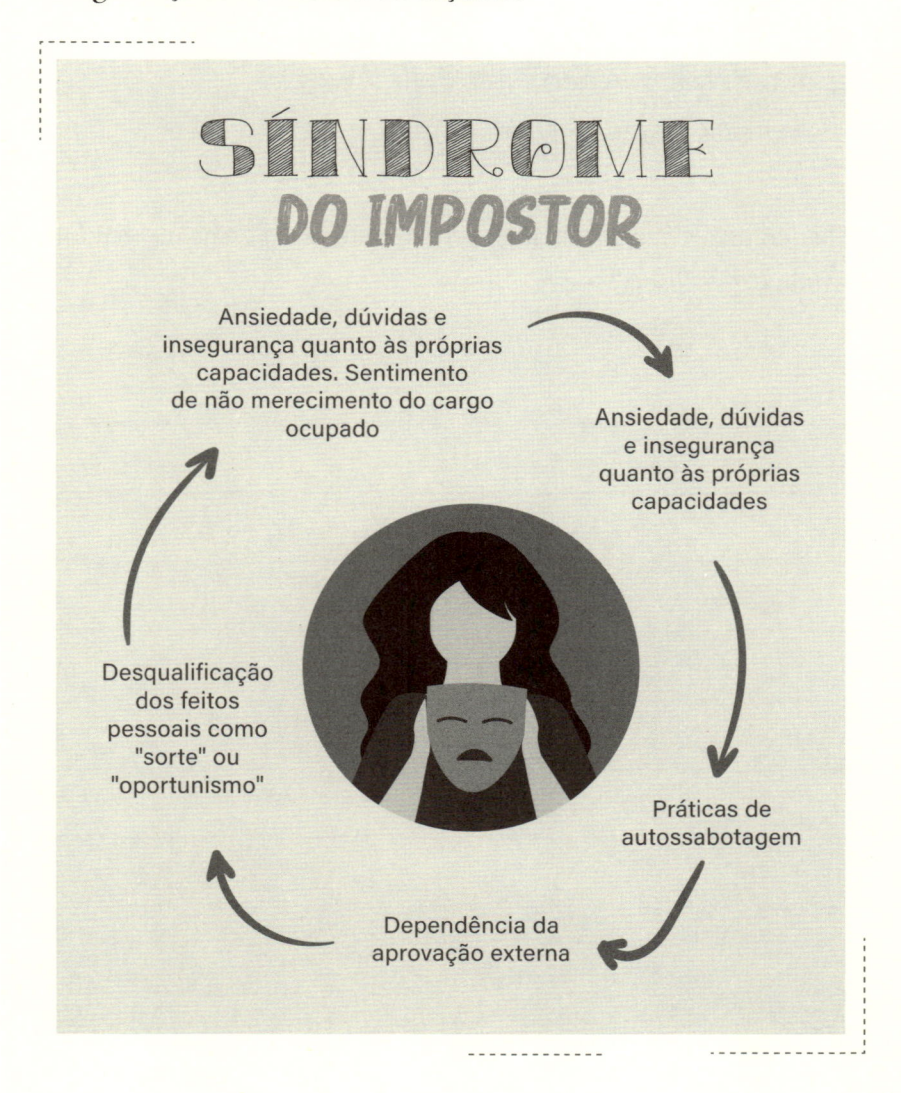

O círculo negativo que a síndrome do impostor gera emperra todo seu processo de cocriação e, por mais incrível que pareça, o sentimento de não merecimento é ignorado por muitos estudiosos da Lei da Atração.

> **No estado de consciência, todo sofrimento acaba.**
> **Jan Frazier, *When Fear Falls Away***

Olhando para si mesmo agora, você se sente uma pessoa merecedora de tudo o que deseja?

_____

_____

_____

_____

_____

_____

_____

_____

66 A VIDA NOS TRAZ TANTOS BENEFÍCIOS mas, quando estamos envoltos no **sentimento de não merecimento,** NÃO SABEMOS ENXERGAR ESSES PRIVILÉGIOS. **99**

Que download você fez deste capítulo?

Capítulo 18

VÁCUO
quântico

"Sucesso significa vida bem-sucedida. Quando se sente em paz, feliz, alegre e fazendo o que adora fazer, você tem sucesso."

Dr. Joseph Murphy, *O poder do subconsciente*

Lembro sempre aos meus alunos, principalmente nos cursos sobre Lei da Atração que ministro na internet, que, se um carro estiver estacionado em uma vaga, outro não consegue parar no mesmo lugar.

Existe algo chamado vácuo. Isso é muito sério.

Para algo novo chegar, é preciso se desapegar do velho.

Se você estuda para prosperar, não pode se apegar ao apartamento onde mora hoje, por exemplo, pois pode ser que você passe a morar em um outro bem maior.

Na prática, será preciso esvaziar as gavetas e os armários de tudo que você não precisa mais, de tudo aquilo que você não usa e que realmente não te faz falta.

E isso tudo está fazendo falta para alguém em algum lugar – inclusive, diversas ONGs se encarregam de vir até sua casa para buscar seus desapegos.

Você precisa abrir espaço para que as energias circulem e as coisas novas possam vir até você.

Nessa caminhada evolutiva, você já reparou que diversas pessoas se afastaram para outras chegarem? Que um emprego saiu para outro chegar? Que uma amizade se foi e logo em seguida você conheceu outra pessoa muito bacana? Você acionou o vácuo quântico.

> A lei do vácuo é esta: se você deseja um bem maior e uma maior prosperidade em sua vida, comece criando um vácuo para recebê-los. Em outras palavras: livre-se do que não quer mais para criar espaço para o que deseja.
>
> **Catherine Ponder, *As leis dinâmicas da prosperidade***

Entenda o seguinte: não são os objetos guardados que emperram sua vida, mas o significado da atitude de guardar.

Quando guardamos algo conosco, considera-se a possibilidade da falta, da carência. É o mesmo que acreditar que amanhã poderá faltar, e você não terá meios de prover suas necessidades.

É desacreditar da abundância e prosperidade do Universo. Acontece que esse hábito envia no mínimo duas mensagens sobre você constantemente:

1ª – Você não confia no amanhã próspero.

2ª – Você acredita que o novo e o melhor não são para você, já que se contenta em guardar coisas velhas e inúteis que jamais vai usar.

O princípio de não acreditar que o melhor é para você pode se manifestar, por exemplo, na conservação de uma velha e inútil batedeira que mal funciona ou daquele monte de madeira e parafusos com a sensação de *"guardo porque um dia vou precisar"*.

Esse princípio, expresso num objeto ou numa roupa, aponta um comportamento que pode também estar presente em outras áreas da sua vida, gerando entraves ao sucesso e à prosperidade.

Por outro lado, o simples fato de dar para alguém o velho liquidificador, a velha batedeira, as roupas que não usa, o sofá que não gosta mais, colocando o objeto em circulação, cria um vácuo para que algo melhor ocupe esse espaço.

O extremo disso são os acumuladores que você já deve ter visto em programas de televisão, aquelas pessoas que acumulam tudo o que encontram por medo da falta.

O que não percebem é que estão numa falta – de confiança, de bem-estar.

Por isso quero te revelar o 3º segredo da caixa-preta humana: o medo, o gerador dos mais fortes e pesados bloqueios de prosperidade. Ele está presente em diversas mentes humanas, atraindo toda forma de realidade escassa.

Sentimentos negativos como o medo podem ser extremamente desconfortáveis e até mesmo paralisantes.

Quando eu estava escrevendo as cinco essências para formar a Quintessência, a Lei da Atração Acelerada, eu tive que definir quais seriam os maiores bloqueadores da mente em processo de cocriação de uma nova realidade.

Além da rejeição e do não merecimento, cheguei ao medo.

Ainda veremos mais duas essências daqui para frente, mas neste momento vou focar nesse sentimento extremamente negativo, o medo.

As definições dos dicionários indicam que a palavra medo significa uma espécie de perturbação diante da ideia de que se está exposto a algum perigo, que pode ser real ou não.

Ainda é possível entender o medo como um estado de apreensão, de atenção, esperando que algo ruim vá acontecer.

Isso faz todo o sentido, já que as pessoas deixam de viver o que sonham, muitas vezes, por medo do que pode lhes acontecer.

Outras têm medo do *"se não der certo"*.

O pote de ouro no fim do arco-íris

Quando criança, eu sempre ouvia a história de que no fim do arco-íris existe um pote de ouro.

Trata-se de uma lenda irlandesa – pelo menos foi o que li em diversos sites de busca quando curiosamente fui pesquisar depois de adulto.

Você já ouviu essa lenda? Agora me responde: já teve vontade de ir atrás do pote de ouro?

Se a sua resposta for sim, sinto te decepcionar, porque o arco-íris mesmo não tem fim, ele é um fenômeno em que a luz solar recai sobre gotas de chuva e tem um comportamento prismal.

Mais uma curiosidade: aproximadamente em 1665, Isaac Newton estudava a natureza da luz, quando descobriu que a luz solar, ao incidir sobre um prisma, se divide em sete cores – vermelho, laranja, amarelo, verde, azul, anil e violeta.

Quando a chuva cai, o ar ao redor fica cheio de gotinhas de água, o que chamamos de umidade.

Essas minúsculas gotinhas, ao captarem a luz solar, funcionam como um prisma refratando-a em várias cores.

Fiz toda essa introdução para te perguntar se você está sempre nessa síndrome do fim do arco-íris. Você está?

Chamo assim aquelas pessoas que estão sempre esperando o depois, o amanhã, o fim do ano, o fim do caminho, o fim de semana, o fim da crise, o fim dos juros, o fim dos conflitos familiares, o fim do arco-íris.

Algumas pessoas – ou você mesmo – podem sentir que estão procrastinando, ou simplesmente deixando tudo para depois, inclusive sua prosperidade.

Se você está de fato procrastinando (ou se só precisa acabar com a preguiça), eu não sei, mas o fato é que basta pensar que quem procrastina faz diversas outras coisas no lugar do que deveria realizar.

Bem diferente de quem é preguiçoso ou desorganizado, o que vou te falar agora está ligado a quem não quer lidar com a situação.

Para saber a origem da sua procrastinação, é preciso compreender sua própria angústia, seus medos e inseguranças.

Se você está sendo pressionado para realizar uma tarefa e, quanto maior a pressão, mais você posterga isso, é necessário entender quais registros (experiências ruins) você tem dentro de si que lembram o que você está vivendo, levando-o a adiar essa realização.

Se você precisa tomar uma decisão, se precisa mudar algo em sua vida, e se tem noção disso, mas mesmo assim não faz, o medo escondido que mora em você está criando mais realidades assim, empurrando tudo para frente, com a cara colada na zona de conforto, esperando sempre o pote de ouro no fim do arco-íris.

Lembre que seus pensamentos determinam a sua frequência, e seus sentimentos lhe dizem de imediato em que frequência você está.

O medo é um sentimento que apavora muitas pessoas.

Olha que interessante: a primeira coisa que te explico é que o medo apavora muitas pessoas.

Quando trabalhamos o sentimento do medo, e ele está presente em nossa vida desde nossa primeira infância, acabamos tendo uma reação física ao senti-lo.

"Mas, William, como assim uma reação física ao medo?"

O nosso corpo responde a toda vibração do medo. Ele produz uma vibração muito baixa em uma escala de sentimentos, te puxando para baixo, assim você vai ficando cada vez mais engessado.

O medo é um sentimento que nos engessa porque, quando vamos fazer alguma coisa nova, produzir algo novo em nossa vida, precisamos de coragem – e coragem não é a falta do medo, mas sim o enfrentamento desse medo.

Se você tiver dúvidas sobre isso que estou explicando, perceba que todas as vezes em que você sente medo de alguma coisa –

por exemplo, de cachorro, cobra, barata, ficar desempregado, perder tudo que tem, ficar sozinho ou o que for – esse medo automaticamente aciona uma reação em seu corpo.

Pode ser um tremor, uma falta de ar, pupilas dilatadas ou diversos outros sintomas.

> "
> Você desperdiça 100% das tentativas que não coloca em prática na sua vida.
> **Wayne Gretzky, jogador de hóquei**

O medo é uma das emoções humanas básicas que funciona como um instinto: o nosso corpo responde com medo sempre que nos sentimos inseguros ou em perigo.

O medo ajuda a nos proteger: mantém-nos alertas para o perigo e prepara-nos para lidar com ele, caso seja necessário.

O medo pode ser muito intenso ou apenas passageiro, durar mais ou menos tempo, dependendo da situação e da pessoa.

O medo é saudável quando nos ajuda a ter cuidado perante uma situação que pode ser perigosa.

Por exemplo, sentirmos medo de águas profundas quando não sabemos nadar bem. Mas, por vezes, o medo é desnecessário e gera mais cuidados do que os que seriam necessários para a situação, como no caso do medo de falar em público.

Se as pessoas não sentissem medo, não viveriam por muito tempo. Isso porque, sem essa emoção, faríamos qualquer coisa sem pensar duas vezes: andaríamos entre os carros em alta velocidade nas avenidas, ficaríamos lado a lado com animais ferozes, pularíamos de prédios etc.

O medo, portanto, é uma trava que nos ajuda a pensar nos riscos e consequências antes de fazermos algo. Também é uma resposta imediata nos momentos em que precisamos agir.

Porém, há os medos que nascem das crenças. O medo de não ser suficientemente bom, o medo de falhar. E há ainda o medo irracional, chamado de fobia. Quando temos uma fobia, ficamos ansiosos e com medo perante situações e objetos muito específicos, como, por exemplo, aranhas, altura, espaços cheios de pessoas ou aviões.

O medo só se torna uma fobia quando nos sentimos ameaçados de modo exagerado ou irreal, perante uma situação ou objeto que não representa uma ameaça.

Sabemos que não há razão para tanto medo, mas não conseguimos evitar. Por exemplo, mesmo sabendo que as aranhas não são venenosas e não vão nos atacar, isso não reduz nossa ansiedade.

Quando temos uma fobia, podemos passar muito trabalho para evitar as situações ou os objetos que nos obrigariam a enfrentar nosso medo.

Sempre que somos confrontados com elas, ficamos extremamente ansiosos e podemos até ter um ataque de pânico.

Existem muitos tipos de fobias, desde as mais simples – como fobia de cobras, do escuro, de voar, de ir ao dentista ou de ver sangue – às mais complexas – como fobia social (sentir-se ansioso na presença de outras pessoas, com medo de ser criticado ou de fazer alguma coisa embaraçosa) e agorafobia (medo de estar em espaços abertos ou em situações das quais seja difícil escapar ou sejam embaraçosas, por exemplo, ir a um shopping, viajar de ônibus ou mesmo sair de casa).

Tendemos a evitar as situações que nos geram medo.

No entanto, isso só reforça o medo, não nos ajuda a ultrapassá-lo.

Mas a questão é que podemos ultrapassar medos desnecessários se nos dermos a oportunidade de aprender sobre a situação e nos habituarmos a ela.

Por exemplo, se tivermos medo de voar, podemos fazer o esforço de andar de avião e nos habituarmos às sensações desconfortáveis da decolagem ou da turbulência, arranjando estratégias para lidar com nosso receio e insegurança. Enfrentar gradualmente o nosso medo pode nos ajudar a superá-lo.

Tipos de medo

Medo permanente: atinge a última camada – manter-nos vivos. É o medo de não ter futuro, de não voltar para casa, comum entre pessoas muito doentes ou combatentes de guerra.

Medo infantil: faz parte do desenvolvimento infantil, nos ajuda a crescer – medo de escuro, monstros, chuva, se perder da mãe. Alguns pais ainda insistem em educar pelo medo, falando coisas como: *"Se você não comer, o homem do saco te pega"*.

Medo em profissões de risco: não impede a ação. É o medo que obriga a estar mais alerta, vigilante e 100% focado, como no caso de bombeiros, policiais, cirurgiões.

Medo irracional: é incontrolável, algo que nos invade por completo, nos impede de pensar e agir. Ocorre na ansiedade extrema, em situações que a pessoa entende como inseguras ou difíceis de sair, como, por exemplo, avião, transportes públicos, estar sozinho no carro.

Ainda existem os medos advindos de nossas crenças: cada um cultiva suas crenças interiores que definem sua realidade, e ninguém sabe totalmente o que cultiva no seu interior. Os medos são resultado dessas crenças e atitudes. Medo é crer no mal. Nós aprendemos a ter medo com nossos pais, o que significa que podemos desaprender. Os medos não garantem que nós não vamos sofrer. Por sua vez, a coragem abre nossos caminhos. O engraçado sobre o medo é que, ao cultivá-lo, você pensa estar se defendendo de algo perigoso, mas não está se defendendo de medo é muito constante, acaba por atrair a situação que você julga perigosa.

Medo da mudança: tudo está mudando o todo tempo na vida. A vibração da energia universal muda. Está tudo avançando, em evolução. A rigidez e a não aceitação só fazem reforço negativo ao medo da mudança. Flexibilizar-se é a chave. Tudo está em movimento e mudança, você querendo ou não. São ciclos que se encerram para outros se abrirem.

Medo de errar: vale lembrar que aprendemos muito mais com os erros do que com algo que fazemos de maneira perfeita. O medo de errar é nada menos que o medo do julgamento alheio. Cometer um erro conduz de volta ao medo de não ser perfeito aos olhos dos outros.

Medo de avião: é o medo de perder o controle.

Medo de dirigir: é o medo de se ver sozinho no mundo, de ser independente socialmente e de ter o direito de ir e vir livremente.

Medo da morte: tudo na natureza morre, se transforma e renasce. Porém, o que causa mais medo é o desconhecimento do pós-morte que está enraizado no subconsciente das pessoas.

Medo do contato social: o medo é uma emoção que sentimos sempre que acreditamos que vamos ter experiências dolorosas, e acreditamos nisso por análise e comparação com as vivências semelhantes do passado. Se, no passado, o contato social nos trouxe dor, reagimos agora instintivamente a essa dor, fugindo, evitando esse contato.

Outros medos: não ter dinheiro, falar em público, ficar sozinho, engravidar, ficar velho, falar e magoar ou ser mal interpretado, se machucar, medo da passagem do tempo, medo da perda.

Imagine agora uma pessoa que estuda Lei da Atração e faz todas as técnicas possíveis para ter seu carro, sua habilitação, mas lá no fundo tem medo de dirigir, assim, só ela mesma sabe por que esse desejo não chega em sua vida.

Mesmo assim, ela pode dizer que *"a Lei da Atração é uma bobagem, ela não funciona"*.

Quando vamos realizar alguma coisa, essa realização faz com que tenhamos coragem, que é o enfrentamento do medo. Pense num soldado: ele se prepara muito para ir à guerra e vencer. Ele faz exercícios, tem aulas de tiro, de sobrevivência na mata, e toda preparação necessária para alcançar seu objetivo. Quando a guerra chega, ele não se esconde no quartel dizendo: *"Estou com medo de ir para o front, estou com medo de enfrentar o meu inimigo"*. Ele simplesmente vai – e não é porque ele vai que deixa de ter medo, o medo continua existindo dentro dele, porém ele o enfrenta.

Na vida, quando passamos por situações difíceis, muitas vezes esmorecemos, ficamos tristes, desanimados, reclamões ou até depressivos.

Todos esses sentimentos negativos aliados ao medo nos paralisam, nos impedem de ver adiante.

Dessa forma, não saímos do lugar em que estamos, e é neste momento que se torna crucial usar o lado racional da mente.

Lembre-se de que nossa mente tem dois lados: o consciente e o subconsciente.

Muitos dos nossos medos (muitos mesmo – e todos nós temos medo, eu mesmo tenho os meus e você os seus) estão no subconsciente.

A partir de agora, vamos trabalhar sentimentos positivos para colocar no lugar do medo, vamos deixar o medo para trás!

Pensando na história do soldado, que enfrenta o medo dele, responda: quantas vezes você já enfrentou seus medos? Lembra quando você precisava apresentar um trabalho na escola e sentia medo, mas pegava aquela folha com suas anotações e ia para a frente da turma tremendo com aquele papel em mãos? Ou quando você tomou iniciativa e foi falar com aquela pessoa com quem queria se relacionar apesar do medo do não, do medo de ser simplesmente ignorado?

De fato, nós cultivamos muitos medos, mas é interessante quando olhamos para o medo de maneira racional.

Muitas vezes, no consultório, meus pacientes se queixavam que tinham medo de ficar sozinhos, e por esse motivo queriam ter um filho, já que ele seria uma companhia.

Ou seja, o medo da solidão fazia com que a pessoa tivesse atitudes para não sofrer aquele medo que nem existia ainda.

O medo da pessoa era ficar sozinha na velhice, então ela já ficava com a cabeça lá na frente, e a maneira que ela encontrava de não sofrer mais era tendo um filho, que na verdade não resolveria nada, visto que uma mãe (ou pai) deve ter um filho para o mundo. Se ela tiver um filho pensando que ele vai ficar na sua vida para acabar com todos os seus problemas, ela vai encontrar diversos outros obstáculos para continuar prendendo esse filho, e depois ainda vai sofrer a síndrome do ninho vazio, se sentindo uma vítima, dizendo que o filho a abandonou.

Estou dando um exemplo só para você poder visualizar, ok?

66 SERÁ QUE O SEU MEDO É ficar sem dinheiro E VOLTAR A POBREZA? 99

Já atendi pessoas que ficaram ricas cujo maior medo era perder tudo e voltar para a cidade onde moravam antigamente.

Como terapeuta, eu ia cavando as camadas mais profundas do medo dessas pessoas, e assim percebi que o medo não era perder tudo: o medo, na verdade, era voltar para a cidade e enfrentar o olhar das pessoas, o julgamento delas e o apontar de dedos.

Agora, analise qual é o seu medo real e o escreva da maneira mais clara possível.

Escolha somente um medo.

Por exemplo: medo de dirigir, medo de andar de avião, de ficar pobre, de ficar doente, de ser julgado, de perder alguém, de morrer, do seu filho te abandonar, das pessoas não gostarem de você, medo da traição.

Registre esse medo de maneira bem clara antes de continuarmos qualquer explicação.

Pare, pense, sinta, respire e escreva seu medo.

QUAL É O SEU MEDO?

_____

_____

_____

_____

_____

_____

_____

O QUE DE PIOR PODE TE ACONTECER?

_____

_____

_____

_____

_____

_____

_____

_____

O medo é saudável em nossa vida durante muito tempo.

Quando somos crianças, precisamos de um certo medo para não pular da janela, para não subir no telhado, para não colocar a mão na panela quente – e mesmo assim nós enfrentamos e fazemos isso!

Lembro que, quando eu era criança, minha mãe havia acabado de passar roupa e me alertou para que eu não colocasse minha mãozinha ali, porque estava quente.

Adivinha: eu não só coloquei uma mão, como coloquei as duas mãos no ferro de passar ainda quente! Eu senti a dor da queimadura e nunca mais cometi o mesmo erro, porque aprendi com aquela dor. Sim, a dor também nos ensina.

A dor que senti depois de colocar a mão no ferro de passar me impediu de fazer o mesmo novamente, mas quando minha mãe me alertou, eu não liguei a mínima, fui lá e fiz para experimentar – e experimentei a dor!

O que quero dizer com isso é que nós precisamos vivenciar algumas coisas, que devem ser claras para nós para que possamos viver melhor.

Por fim, existem medos que são importantes.

Por exemplo, eu não vou abrir uma caixa de remédios e tomar todos de uma vez, porque sei que vou morrer – esse é o medo que nos ajuda, nos freia.

O ser humano tem um instinto de preservação da vida, e o medo é aliado desse instinto.

Um certo medo, um certo cuidado, também é necessário para que tenhamos consciência daquilo que estamos fazendo.

66 APROFUNDE AS CAMADAS do seu medo 99

> A maioria de nós nunca se permitiu desejar o que realmente quer, pois não consegue ver como isso irá se manifestar.
>
> **Jack Canfield, *The Secret***

Agora, é importante que você dê um nome para o seu medo.

Vou te ajudar.

Se quiser, procure uma música em alta frequência e respire profundamente por alguns segundos.

Enquanto toca essa música, deixe que ela te proporcione mais clareza, que eleve a sua vibração. Agora localize o medo dentro de você, localize esse medo que você já determinou qual é, pois na sequência nós vamos tirá-lo daí.

Conte até três e tire esse medo de dentro de você, transformando-o em uma personagem.

Não precisa ter medo do medo, pois isso só o deixaria esse sentimento maior!

E você é muito mais forte!

Você pode trabalhá-lo a partir de agora, então, neste exato momento, tire o medo de dentro de você e ele se transformará em uma personagem. 1, 2, 3. Pronto!

O medo saiu de você e está na sua frente.

Em seguida, você dará um nome a ele. Pode ser o nome que você quiser: tranqueira, sujeira, lixo, coisa feia, coisa ruim, sombra.

Dê o nome mais negativo que você puder, represente essa personagem por este nome.

Deixe sua personagem aí do lado. Ela já está fora de você porque você a tirou de dentro e todos temos esse poder.

A partir de agora, você não vai mais chamar de medo, você vai chamar pelo nome que criou.

Nas próximas linhas, eu vou escrever medo, mas quando você estiver fazendo o exercício, substitua pelo nome que você escolheu.

Imagine essa personagem na sua frente: se é grande ou pequena, quais são suas formas e sua cor etc.

Olhe para um canto qualquer do local onde você está e veja esse medo.

Você pode encará-lo. É muito bom que vocês se conheçam, afinal, ele morava dentro de você, e agora você vai trabalhá-lo no lado de fora.

Olhe para esse canto e repita as afirmações a seguir com força! Enfrente essa personagem com garra!

Medo, eu reconheço você.

Medo, nós chegamos até aqui juntos.

Medo, eu tenho algo muito importante para te dizer.

Medo, nós temos que ter uma conversa séria agora.

Medo, eu não quero mais você em minha vida.

Medo, você não tem espaço dentro de mim.

Medo, eu sou muito maior que você.

Medo, eu rompo agora qualquer laço que possamos ter.

Medo, eu não tenho nenhum contrato com você.

Medo, a partir de agora, você não vive mais dentro de mim.

Medo, hoje foi o último dia que nós tivemos contato.

Medo, eu te bloqueio da minha vida.

Medo, eu te perdoo por tudo o que você me fez.

Medo, eu te deixo livre para que você vá embora.

Medo, você não tem mais espaço dentro de mim.

Medo, está tudo bem.

Medo, agora chega!

Medo, este foi o limite.

Medo, eu escolho viver a minha vida sem você.

Medo, este é o fim do nosso relacionamento.

Respire fundo mantendo a sua força, mantendo a sua palavra.

Mantenha tudo o que você disse a ele, não o olhe mais e o deixe ir embora.

Coloque suas mãos no peito e respire profundamente.

Está tudo bem com você!

Está tudo bem em seu mundo!

Você pode fazer esse exercício quantas vezes quiser e com quantos medos quiser colocar para fora.

Tirando o velho para dar espaço ao novo

Pense em uma prateleira cheia de objetos.

Quando tiramos uma caixinha de lá, o espaço fica vazio.

Agora que tiramos esse medo de dentro de você e ficou um espaço vazio, vamos preenchê-lo com um novo sentimento poderoso e enriquecedor, que te fará muito bem!

Coloque a música novamente, respire fundo e ponha suas duas mãos à sua frente como se estivesse recebendo um presente, como se você fosse segurar algo, como se alguém fosse colocar uma caixinha nas suas mãos.

TÉCNICA EXPRESS
para te ajudar agora!

Respire profundamente, mentalizando um sentimento bom que você queira colocar no lugar daquele que saiu.

Qual sentimento você quer?

Felicidade?

Alegria?

Entusiasmo?

Paixão?

Amor?

Fé?

Otimismo?

Persistência?

Tranquilidade?

Qual é esse sentimento?

Escolha um só, afinal, foi um que saiu e outro irá entrar.

Não precisa ter pressa. Faça com calma e no seu ritmo.

Posicione esse sentimento nas suas mãos e, depois, passe a mão nele.

Veja qual é o formato que ele tem: se é redondo, quadrado, oval.

Como é esse sentimento que está em suas mãos? Sinta-o um pouco. Que cor ele tem? Reconheça esse sentimento que está em suas mãos, apalpe-o, perceba-o.

Conte até três e então o encaixe em seu peito com coragem, sabedoria, amorosidade e entendimento.

1, 2, 3. Encaixe esse sentimento em seu peito agora!

Respire profunda e calmamente, solte seus braços e sinta seu corpo com todo esse sentimento maravilhoso aí dentro. Deixe suas células relaxarem e se encaixarem nesse sentimento bom que entrou em sua vida.

Relaxe, sinta esse seu momento especial.

É algo novo que chegou em sua vida, e o medo não tem mais espaço dentro de você. Parabéns!

Sinta a paz e o alívio que você proporcionou a si mesmo!

Por fim, pegue o seu celular, pois vou te dar uma sugestão incrível.

Com sua própria voz, grave o texto a seguir.

Depois, ouça sua voz relaxando e deixando fluir sua mente, sentindo e acreditando em tudo que você mesmo diz para si.

MEDITAÇÃO PARA
limpeza do medo

Que bom que você chegou até aqui! A partir de agora, eu quero conversar com a sua mente subconsciente.

Escolha um lugar onde possa relaxar, descansar e se sentir bem. Nesse momento, eu quero que você cuide de si!

Já conversamos sobre o sentimento que te atrapalhava e você até deu um nome para ele, você já o ressignificou e trouxe toda uma sabedoria para esse sentimento que não te servia mais.

A partir de agora, eu quero que você relaxe, então encontre algum lugar tranquilo onde possa descansar o seu corpo enquanto eu converso com a sua mente.

Você vai ouvir uma música gostosa que te faça muito bem e, conforme essa música vai entrando em sua mente, ela vai te limpando de tudo aquilo que não te serve mais.

Você vai deixando para trás tudo o que não te leva para frente.

Respire e sinta a sua respiração em abundância, sua sabedoria, sua inspiração e sua tranquilidade. Sinta-se bem amparado, bem tranquilo e em paz.

A partir de agora, você não precisa se preocupar com mais nada, simplesmente relaxe, descanse a sua mente enquanto eu converso com você. Se algum pensamento vier te atrapalhar, simplesmente volte a sua atenção para essas palavras, pois serão apenas poucos minutos, porém importantíssimos, que vão te ajudar a viver melhor.

O meu único objetivo aqui é te ajudar a viver melhor.

O medo é uma das emoções básicas humanas, ele funciona como um instinto. O nosso corpo responde com medo sempre que nos sentimos inseguros ou em perigo – e está tudo bem! O medo até nos ajuda a nos proteger, nos mantém sempre em alerta para o perigo e nos prepara para lidar com ele, caso haja necessidade, mas agora, aqui, relaxe.

Você não precisa se preocupar nem sentir medo de nada, você está em um ambiente seguro.

Eu quero te contar, porque talvez você não saiba: se as pessoas não sentissem medo, elas não viveriam por muito tempo. Isso acontece porque, sem essa emoção, faríamos qualquer coisa sem pensar duas vezes.

Andaríamos de carro em alta velocidade, ficaríamos ao lado de animais ferozes e até pularíamos de prédios, ou seja, o medo é importante e salva vidas.

Ele só não é importante quando trava a sua vida.

Todo medo que te atrapalha, todo medo que te incomoda não é bem-vindo aqui.

Por isso, você não precisa mais viver amedrontado, você pode seguir. Lembre-se de que você está em um ambiente seguro!

Relaxe, respire fundo e solte o ar.

Você vai lembrar que, quando era criança, sentia alguns medos. Eu também tinha. Por exemplo, eu tinha medo do escuro, de monstros e, acredite se quiser, eu tinha medo até da chuva, de trovão.

Algumas vezes eu tinha medo de perder minha mãe, um medo comum, que faz parte do desenvolvimento infantil. Esses medos nos ajudam a crescer, e isso é o que precisamos entender: agora que nós somos adultos, os medos não precisam mais viver dentro de nós – e está tudo bem!

Relaxe e sinta todo seu corpo revigorando, sinta seu corpo bem, permita-se renovar as suas células e suas microcélulas, compreendendo que está tudo bem e que você está em segurança.

Nada de ruim vai te acontecer.

Vou te passar algumas afirmações e gostaria de te convidar a repeti-
-las, se você quiser. Não há problema se não quiser ou não puder falar em voz alta; fale simplesmente dentro da sua mente, porque vai te fazer bem.

Relaxe e sinta o seu corpo em segurança, a sua mente em segurança e o seu espírito em segurança. Está tudo bem.

Repita:

Eu me liberto de todos os medos.

Eu me liberto de todos os medos do passado.

Ilumino o meu corpo, minha mente e minha alma com luz.

Eu me liberto de todas as minhas crenças negativas.

Eu afasto todos os meus medos com a visualização criativa.

Eu sou um herói.

A cada dia que passa, procuro fazer coisas novas.

Sou ousado e determinado.

Ordeno ao meu subconsciente que me afaste do medo.

O medo é o causador de todos os males.

Eu estou em segurança.

Eu sempre me recordo de quem sou.

Eu me libertei do meu passado inteiro e sou livre para viver coisas positivas e boas.

Eu estou em paz com o Universo e comigo mesmo.

Eu sou guiado durante todo o dia a fazer as escolhas certas.

A divina inteligência me guia continuamente em direção à realização dos meus objetivos.

Eu estou aberto e receptivo a tudo que é bom.

Eu me amo e está tudo bem.

Respire profundamente, relaxe, solte o ar.

A partir de agora você está numa nova era, em um novo tempo de coragem, tranquilidade e paz. Relaxe e fique ouvindo a música sem se preocupar com absolutamente nada. Somente quando a música terminar, retome a sua vida sentindo coragem, paz, harmonia, disposição, felicidade e tranquilidade.

Fique com a pessoa mais importante do mundo: você!

Depois dessa meditação poderosa, a sua voz da consciência positiva ecoará. Tenho certeza de que você já está se sentindo muito bem. Conversar com nossa mente de forma racional faz bem porque nos sentimos mais inteligentes. Somos animais que pensam sobre o próprio pensamento.

E agora vou te ensinar outra técnica igualmente poderosa!

Vamos trabalhar o hoje, amanhã e depois. Afinal, não é porque você fez uma meditação que tudo vai se resolver.

Quando uma pessoa quer correr uma maratona, ela não treina só uma vez, muito pelo contrário: a cada dia ela se exercita mais para estar cada vez melhor, com melhores resultados, até o dia da prova, com foco em vencer.

Reescreva a seguir seu desejo (ou seus desejos) agora que você tomou consciência de que nenhum medo pode atrapalhar sua cocriação da realidade. Será um desejo mais puro e uma ordem enviada mais rapidamente ao Universo.

Se você pensar na história do Aladim, quando ele pega a lâmpada e esfrega, o gênio aparece e diz *"seu desejo é uma ordem"*. Portanto, lembre que seu desejo é uma ordem – e agora sem medo de ser feliz!

_____

_____

_____

_____

_____

Que download você fez deste capítulo?

Capítulo 19

VOCÊ É
criador

"Se você duvida de que pode ter algo, está emitindo uma vibração negativa. Essa vibração negativa está diluindo ou anulando a vibração positiva de seu desejo. Em outras palavras, desejar fortemente (vibração positiva) e duvidar fortemente (vibração negativa) anulam-se mutuamente."

Michael J. Losier, *A Lei da Atração*

Sinto o desejo de escrever algo: calma, vai ficar tudo bem.

Quando eu escrevo esse monte de informações e ao mesmo tempo procuro fornecer um caminho para te ajudar, fico aqui pensando em como essas informações entram no seu estado consciente.

Talvez, até aqui você tenha estudado comigo ou com outra pessoa sobre Lei da Atração, mas o fato é que ninguém te explicou que alguns sentimentos poderiam estar bloqueando o processo.

Enquanto eu atendia em consultório e olhava nos olhos brilhantes das pessoas que falavam de algum sonho, mesmo que bem lá no fundo, eu percebia que elas lutavam contra alguma coisa invisível.

Ao longo dos anos, fui percebendo que rejeição, não merecimento, medo eram alguns dos sentimentos mais frequentes nas pessoas bloqueadas.

Porém, um sentimento em especial as mantinha no passado.

Muitas vezes, por mais que se insista em ir para frente, avançar, criar e ser um novo alguém, um sentimento em especial mantém a cabeça no passado – eu vi isso em centenas de pacientes ao longo dos anos. Até que compreendi: se as pessoas se livrassem desse elástico emocional, elas conseguiriam avançar e se recriar de alguma forma.

Cheguei então ao 4° segredo da caixa-preta humana: a culpa, um sentimento que tanto nos destrói! É um pesar por quebrar algum acordo ou regra que entendemos como importante.

Você já pensou no que é culpa? De onde ela vem e por que a carregamos? Quem inventou a culpa?

A culpa é a sensação ruim de estar devendo alguma coisa para nós próprios ou para o outro. Ela é sempre um pensamento que está lá atrás, no passado, pensando no que poderia ter sido feito, no que poderia ter sido dito ou no que foi dito e não deveria. Quando estamos na culpa, estamos sempre um passo atrás – e isso nos impede de ir para frente.

Então, agora você vai deixar para trás tudo aquilo que não te leva para frente.

Primeiro: de onde será que vem a culpa? Tanto aquela que colocam nas nossas costas quanto aquela que nós mesmos criamos.

Um primeiro aspecto essencial para identificação da culpa é a vertente religiosa. A culpa imposta de fora é justamente uma tentativa de controle. Durante muitos anos, a religião dominou o mundo, instalando um grande medo, pregando um Deus que estava no céu, que tudo via e que nós deveríamos temer.

A culpa e o medo eram embutidos nas pessoas; tudo aquilo que elas faziam de "errado", ou seja, fora do que estava estipulado, era pecado.

Assim, os indivíduos carregavam as culpas impostas a elas.

A religião cria a culpa e a sensação de algo que não conseguimos controlar.

Quando colocamos um Deus no alto, lá em cima, estamos impedindo que nós mesmos possamos controlar alguma coisa. É Ele quem controla e vê tudo.

Não sei se quando você era criança alguém te falava: *"Olha, se você aprontar, a mãe pode até não ver, mas Deus vê tudo e no último dia da sua vida vai passar num telão todos os seus erros."* Já ouviu essa história?

Aí, quando fazemos algo errado, pegamos nosso chicote emocional da culpa e deixamos que isso vá dominando nossa mente, nos impedindo de ter criatividade, de avançar e de sermos pessoas muito melhores.

> **OLHE O QUE É NATURAL e humano. DESDE CRIANÇAS, APRENDEMOS o que é ERRADO E O QUE É CERTO**

"William, o que significa isso?"

Pode ser que tenham vendido para você uma ideia de domínio e de controle, e que você ainda esteja vivendo essa ideia.

Pode parecer bobagem, mas muitas pessoas deixam de viver, de cocriar a realidade próspera e abençoada na vida delas por carregar sentimentos como a culpa.

Já te contei isso!

Eu posso estar derramando muitas informações que podem até parecer confusas, mas talvez você não tenha percebido que a culpa tem vários aspectos.

E a parte religiosa é apenas um deles.

Pois bem, quantas vezes a religião prega um padrão, um jeito de ser, e, quando você foge daquilo, você está errado e se transforma em uma pessoa indigna de estar numa situação boa?

Vou te contar um pouquinho sobre minha criação religiosa para que você entenda mais facilmente: eu vim de uma religião que não permitia ter televisão em casa, as mulheres não podiam cortar o cabelo, usar maquiagem ou se depilar, e os homens só podiam usar calças, mesmo com um calor infernal, porque "Deus não permitia" nada daquilo.

Sempre fui muito observador e via minhas primas se punindo com o chicotinho emocional quando cortavam as pontinhas do cabelo.

Na igreja, eles vendiam ideias absurdas do tipo: *"Se sua filha ficar doente é porque cortou o cabelo"*, *"Se você perdeu o emprego é Deus te castigando porque você teve relações sexuais antes do casamento"* e por aí vai.

Era trabalhado em nossa mente um Deus de ameaça.

Quero destacar que não estou desmerecendo nenhuma religião, todas são bem-vindas. O que aconselho é que você sempre desconfie de um conceito ou de um discurso ameaçador que não te faz ser uma pessoa melhor.

66 **Religião é O RÓTULO DA GARRAFA; espiritualidade É O CONTEÚDO DELA** 99

Justamente por não aceitar alguns padrões estabelecidos pela religião é que fui estudar e percebi que esses aspectos religiosos criam dentro de nós muita culpa.

E mais: isso é plantado na Humanidade desde que ela existe! Com isso, quero que você perceba que o sentimento da culpa está enraizado em nós desde sempre, e esses aspectos vão tomando conta da nossa realidade, nos levando cada vez mais para o fundo do poço.

Não há como prosperar e trabalhar a abundância carregando culpa. Esse sentimento sempre vai fazer com que você pense que está errado e que não merece o melhor, porque quem se vê em erro não consegue acreditar que merece coisas boas e, assim, o melhor não chega para você.

A vida só te dá mais do mesmo que você já tem, do que pensa e vibra.

Você carrega culpa por prazer?

Pode parecer estranho, mas muitas pessoas têm o prazer de falar que erraram e que estão se sentindo mal.

É como se elas dissessem assim: *"Eu fiz algo de errado e estou carregando uma culpa imensa"*, como se aquilo fosse um assunto para falar sempre e ir alimentando.

Quando trazemos de volta esses pensamentos e ruminamos aquilo, tal como uma vaca que mastiga o mato e depois regurgita aquele mato todo, fazemos exatamente como a vaca faz com o seu alimento. Muitas vezes não nos damos conta desse sentimento que aparece e ficamos ruminando, ruminando, ruminando – e assim a culpa cresce, fica forte e toma conta dentro de nós. Esse é o sentimento que tem colocado muitas pessoas para baixo, as impedindo de avançar.

O troféu que ninguém quer carregar

As pessoas usam a culpa para manipular.

ou te mostrar como isso acontece com um exemplo bem comum que todos nós já vimos.

Sabe quando o filho sai de casa para se divertir e a mãe fala: *"Vai deixar a mãe aqui sozinha?"* ou *"Você vai viajar, passear e eu vou ficar o fim de semana todo aqui sozinha, sem nada pra fazer?"*.

Isso é culpa!

Essa mãe está inserindo na cabeça do filho uma culpa por ele estar vivendo sua vida. Como consequência pode ser que ele viaje com os amigos mas não consiga se divertir, por ficar ruminando a culpa instalada na sua cabeça. Isso até beira a maldade...

Certa vez, atendi uma mulher que havia se separado do marido e levado a cama em que eles dormiam embora.

Mesmo tendo condições financeiras de comprar outra cama, ele enviava para ela fotos dele dormindo no chão, pelo puro prazer de usar o chicotinho emocional e manipular a ex-mulher.

Para alguns, é um prazer colocar a culpa nos outros: *"Olha o que você fez comigo!"*.

A culpa pode estar indo até você através do seu marido, do seu pai, da sua mãe, de um amigo, de um filho, ou de qualquer outra pessoa próxima.

Durante muito tempo você pode alimentar essa culpa sem nem perceber que ela está no seu subconsciente te impedindo de avançar.

Qual é o contraponto da culpa?

É o sentimento de responsabilidade pelas decisões tomadas.

Não é a responsabilidade que jogaram nas suas costas, é a que você mesmo assume.

Por exemplo: *"Eu assumo a responsabilidade de ter saído do meu antigo trabalho; foi a decisão que tomei na época com a cabeça que eu tinha naquele momento. Eu fiz o melhor que poderia ter feito"*.

Dessa maneira, você assume a responsabilidade pelas suas escolhas e começa a construir um caminho novo.

Chega! Você rompeu aquele ciclo negativo que fazia você ruminar as suas decisões do passado. Você desconstruiu a culpa, você fez o caminho inverso!

Pare de achar que você tem essa bola toda para se considerar culpado por tantas coisas.

Que pretensão é essa que você acha que tudo é culpa sua?

Chega de construir culpa em sua cabeça!

Chega de pensar coisas do tipo: *"Ela ficou doente porque falei tal coisa", "Minha cachorra foi atropelada porque fui passear com ela", "Meu pai morreu porque não fui visitá-lo".*

Vou te ensinar como fazer isso daqui a pouco, mas, neste instante, pare de pensar que você está "com a bola toda" para carregar tanta culpa nas costas.

Não precisa mais disso.

Sei que parece difícil, pois não nos ensinaram a dizer não.

Aprendemos com a mãe, com o pai, com a tia do interior que só falava bobagens, com a televisão, enfim, todo aquele aprendizado vinha carregado de crenças limitantes.

Por mais que nossos pais e avós nos amassem, eles só conseguiram dar aquilo que eles também receberam.

É uma vida de ameaças, manipulação e culpas a que fomos submetidos.

Está na hora de dizer não para esses padrões que não são seus.

Cancelando o pensamento de culpa

Vou te ensinar como eu faço quando vem um pensamento de culpa que não me leva a lado algum.

Quando eu chego a pensar algo como: *"Comi aquela pizza gigante e sei que vou engordar, não deveria ter comido"*, neste exato momento, levanto minha mão direita em direção ao meu ouvido e digo *"Cancela!"* de maneira firme e assertiva, trocando o pensamento: *"Hoje eu comi uma pizza porque me dei o prazer de desfrutar dessa delícia, já fiz dieta a semana toda e não há mal algum em ter esse prazer agora"*.

Com essa simples técnica, através do gesto e da afirmação com firmeza, você cancela o pensamento de culpa e reconstrói um pensamento positivo no lugar.

O pior de tudo é você sentir culpa e não fazer nada para mudar

Agora que você já conhece essa técnica e tem consciência do que se passa aí dentro, pode deixar a omissão de lado e trabalhar esse sentimento que não te leva a parte alguma.

A partir de agora, você vai tratar esse sentimento de culpa com amor e gentileza.

Adote uma perspectiva nova: saia da cena da culpa e se olhe de fora.

Como José Saramago já dizia: *"Para ver a ilha é preciso sair da ilha"*.

Saia um pouquinho da sua vida e a olhe de fora, como se fosse um espectador, e faça sua análise interna: *"Quais valores estou carregando que me fazem sentir essa culpa que estou rompendo agora?"*

Estou te ensinando uma visão educativa, muito diferente da visão punitiva do chicotinho emocional.

Agora, vou conversar com seu subconsciente neste texto que preparei a seguir.

Se puder, pegue seu celular e coloque uma música de relaxamento ou em alta frequência vibracional.

Você também pode fazer como no outro capítulo: gravar o texto na sua voz e depois ouvir quantas vezes quiser.

Esteja em um local onde possa relaxar e ouvir a música terapêutica que sempre sugiro.

Vamos limpar a culpa que está morando aí dentro. Vem comigo?

RELAXAMENTO PROFUNDO
para limpeza da culpa

Agora eu quero que você se sinta cada vez mais seguro.

Relaxe seu corpo em um lugar onde possa se sentir em segurança completa. Você vai respirar profundamente e contar até três, soltar o ar contando novamente até três para eliminar todo esse ar de dentro dos seus pulmões.

Faça essa contagem até se sentir calmo e relaxado. Vá se acalmando e limpando tudo aquilo que não te serve mais.

Esse relaxamento profundo vai te ajudar a deixar para trás tudo aquilo que não te leva para frente.

Sinta os seus pés relaxando, as suas pernas mais leves, seus braços vão ficando pesados e suas mãos relaxam. Você vai trabalhando um relaxamento bem profundo do seu corpo todo. Relaxe seu abdômen, seu pescoço, seu rosto, sua testa, sua boca e todo o seu corpo decide relaxar. Então relaxe com bastante profundidade.

Enquanto você ouve a música, de uma forma terapêutica, ela vai limpando tudo aquilo que não te serve mais, relaxe e aproveite esse momento. Há quanto tempo você não relaxava? Neste momento, seu único dever é relaxar profundamente.

Se algum pensamento vier te perturbar, deixe para lá, você não precisa resolver nada agora. Tudo pode ser resolvido depois. Enquanto você relaxa, você simplesmente desliga o seu consciente; assim, posso conversar com o seu subconsciente através das minhas palavras. Neste momento, com muita profundidade, relaxe seu corpo. São minutos que você está dedicando a você mesmo.

Só relaxe.

Essa é a ordem para o seu corpo: relaxar. Enquanto você relaxa, as suas células se restauram, suas microcélulas se restabelecem e você vai perceber que, quando voltar desse relaxamento, estará se sentindo muito melhor, com felicidade, paz, vigor e todas as suas forças.

Agora que seu corpo relaxou, como seria relaxar a sua mente? Se vier algum pensamento, simplesmente o acolha, respeite, mas descarte. Você não precisa resolver nem pensar em nada agora. Relaxe.

Deixe o pensamento vir e ir. Você não precisa ficar com ele.

É o seu momento de estar e cuidar de você. O mundo todo pode te esperar.

Agora que você relaxou seu corpo e sua mente, como seria relaxar a sua alma? Relaxe seu espírito. Eu sei que há muito tempo você vem carregando algumas dores na sua alma, pensamentos negativos, feridas abertas.

Esses pensamentos e feridas são chamados de culpa.

São pensamentos que vêm o tempo todo em nossa cabeça dizendo o que deveríamos ter feito, dizendo até coisas que não deveríamos ter feito, mas eu estou aqui para te dizer que você não precisa mais se punir.

A partir de agora, você joga fora todo chicote emocional que carregava nas mãos. A partir de hoje, você não se pune e não se amaldiçoa mais. Você agiu do jeito que conseguiu agir.

Eu tenho certeza de que se você pudesse mudar tudo, com a cabeça que tem hoje, você mudaria – mas isso não importa, porque o que importa de verdade é o que você quer construir daqui para frente, a sua nova história, seu novo capítulo na vida.

Você está escrevendo sua história toda vez que pensa, age e cria novos hábitos. Você está cocriando uma realidade nova o tempo inteiro. Agora, construa uma realidade de paz, pois eu sei que é um desejo da sua alma, da sua mente e do seu corpo, que não aguenta mais tantas punições.

Você vai melhorar emocionalmente após esse relaxamento, vai se sentir muito mais criativo. Seu peito já está muito mais aliviado. Respire mais leve e solte o ar de maneira mais e mais tranquila. Respire.

Simplesmente respire trazendo mais felicidade a você. Aceite a felicidade. Abandone tudo aquilo que te incomodava e que não estava te ajudando em nada a avançar em sua vida.

A culpa vem de fora. São os outros fazendo uma tentativa de controle. Mas agora você não precisa mais carregar esses sentimentos pesados de culpa.

As pessoas que inseriram a culpa em sua mente também não têm culpa disso, porque elas agiram como puderam ser. A partir de agora, eu sei que você é uma pessoa muito melhor.

Você é uma pessoa mais espiritualizada, mais culta, mais consciente dos seus atos, dos seus pensamentos e da sua responsabilidade na cocriação de uma vida nova.

O chicote emocional não existe mais.

No lugar da autodestruição, você traz pensamentos sempre mais positivos.

Você é inteligente, você tem a sua beleza.

Seu peito está mais leve. Seu coração se alegra. Você tem a sensação de algo bom que irá acontecer em sua vida. Você tem um padrão positivo na mente. Você é totalmente abundante.

Você é só prosperidade. Você se ama e está tudo bem! Você se ama e está tudo bem! Você se ama e está tudo bem!

Ouça a música mais um pouco e continue relaxando Aproveite esse momento maravilhoso em que você está leve, feliz e livre!

Volte para uma vida muito melhor!

Que download você fez deste capítulo?

Capítulo 20

O SEGREDO QUE FALTAVA

"Para obter uma coisa, é necessário que a mente se apaixone por ela."

William Walter Atkinson

Até aqui, você viu os quatro primeiros segredos da caixa-preta humana: rejeição, não merecimento, medo e culpa.

Você chegou numa etapa muito importante, onde vamos estudar o 5º segredo da caixa-preta humana: **a frequência do desprezo, cultivada e vivida por milhares de pessoas que não se dão conta disso.**

Agora nós vamos mergulhar ainda mais fundo para entender os seus sentimentos.

Você já entendeu que são os sentimentos que definem o seu padrão vibracional e, consequentemente, a sua realidade.

Então estamos ingressando em um novo padrão de estudo.

Superando a frequência do desprezo.

Imagine que você quer ouvir rock e então procura uma emissora que toque esse tipo de música.

Você gira o botão procurando a frequência da emissora e, quando encontra a certa, recebe a música que procurava, sempre ouvindo o mesmo estilo.

Eu adoro ouvir notícias, por isso estou sempre conectado na emissora que veicula esse tipo de conteúdo.

Em outras palavras, estou em sintonia com a frequência certa do que gosto de ouvir. Faz sentido pra você? A Lei da Atração diz que semelhante atrai semelhante.

Dessa forma, você pode ver a Lei da Atração como um diretor universal que cuida para que todos os pensamentos combinantes entre si se alinhem.

Esse princípio pode ser entendido quando você liga o seu rádio e deliberadamente o sintoniza com o sinal da torre de transmissão, mas aí você gira o botão até uma certa emissora.

Se eu coloco sempre 95.7 FM, jamais vou ouvir o que está na 101.5 FM.

A Lei da Atração concorda com você, então, se você está numa frequência diferente da que almeja, como deseja ter a vida manifestada?

Na medida em que a sua experiência faz você ter desejos, você precisa encontrar formas de se manter consistentemente em harmonia vibratória com tais desejos, para que possa receber a manifestação deles.

Toda vez que você tem alguma atitude ou hábito de escassez, reforça a sintonia com a frequência da pobreza, da falta, da dor, da escassez.

No capítulo sobre assinatura energética, você viu que criamos em torno de nós mesmos uma energia capaz de se conectar com exatamente tudo.

Nossas antenas estão o tempo todo ligadas, captando tudo. É uma energia de atração e de repulsão.

Olha que legal: falei tantas vezes sobre ímã, mas o próprio ímã tem um lado que não se conecta. Se eu o virar ao contrário, ele exerce uma força de repulsão ao invés de atração.

SERÁ QUE VOCÊ ESTAVA ESSE TEMPO TODO NA VIDA DO LADO ERRADO DO SEU ÍMÃ? PARA SABER, É SÓ ANALISAR OS RESULTADOS QUE TEVE ATÉ AQUI, EM TODOS OS SEUS ANOS VIVIDOS.

Muita gente não sabe, mas a frequência do desprezo pode estar mais envolvida em nossa vida e pode estar fazendo dela muito mais escassa do que sequer imaginamos.

A frequência do desprezo é quando uma parte da nossa mente começa a reclamar de tudo que já temos por várias vezes consecutivas.

Muitas pessoas pensam que o contrário da gratidão é a ingratidão, mas não é isso, pois o contrário da gratidão chama-se desprezo.

A ingratidão é um sentimento neutro que não muda nada em nossa vida, enquanto o desprezo faz com que a nossa mente e a nossa vibração não reconheçam o que já temos.

Vamos imaginar que eu tenha uma pequena casa e eu quero uma casa maior. A partir daí, começo a desprezar a minha pequena moradia, colocando defeito em todas as coisas.

O que estou fazendo é desprezar a bênção que me foi dada, emanando uma energia totalmente contrária à gratidão, uma energia de desprezo.

Muitas pessoas dizem que são gratas, mas, na maioria das vezes, não são tão gratas quanto pensam, pois, quando chegam em casa ou quando algo de ruim acontece, saem reclamando de tudo e de todos.

Outro exemplo é quando eu quero ter um corpo musculoso, bem definido, igual aos que vejo nas redes sociais, porém, ao me ver sem roupa no chuveiro, reclamo muito do meu corpo, jogo o valor dele lá embaixo, e jogo o corpo que vi nas redes sociais lá em cima.

Em outras palavras, estou amaldiçoando o meu corpo porque não entrei no banho com a energia da gratidão, mas com a do desprezo.

Não podemos buscar vencer um desafio nos desprezando, com a frequência vibrando lá embaixo.

Com essa energia do desprezo, acabamos não entrando na sintonia da prosperidade e não geramos riquezas e conquistas em nossa realidade.

Portanto, primeiramente precisamos nos amar e amar as coisas que estão ao nosso redor, valorizar as bênçãos que nos foram dadas para cocriar novas bênçãos em nossas vidas. Caso contrário, ficaremos sempre vibrando na escassez, na pobreza, na mendigagem, e quem vive na mendigagem energética, sem valorizar as coisas ao seu redor e reclamando de tudo, mesmo não faltando nada, acaba atraindo sentimentos e coisas ruins para sua própria realidade.

Para a maioria das pessoas que vibram no desprezo, o processo é muito mais lento, a cocriação daquilo que elas desejam demora muito mais para acontecer, porque a vibração delas (focada no desprezo) é mais forte.

O Universo inteiro tem uma câmera conectada em você, olhando quem você é, como está pensando e agindo, a forma como pensa longe dos outros, longe das redes sociais, longe da televisão ou do grupo de amigos.

E é essa a energia que cocria sua vida e que o Universo consegue compreender. Então, se sua vida está passando por momentos que não são legais, você deve repensá-la.

Puxe pela memória os seus comportamentos e sentimentos.

Por isso é que se fala muito em fazer uma reforma íntima, como uma reforma em casa, onde quebramos coisas, tiramos móveis do lugar, reconstruímos e remodelamos o que não estava bom.

O mesmo funciona conosco: é normal bagunçarmos toda nossa vida, não tem problema nenhum nisso.

Outro exemplo é quando um barco começa a balançar: esse é um ótimo sinal, já que mostra que ele está saindo do porto, está se movimentando em direção ao seu destino.

Portanto, quando a sua vida começar a balançar, lembre que é algo bom, pois o barco está saindo do porto – e o barco foi feito para estar em alto mar, não foi feito para estar parado.

SERÁ QUE QUANDO RECLAMAMOS DIZENDO QUE A VIDA ESTÁ DO AVESSO, NÃO QUER DIZER QUE ELA ESTÁ DO LADO CERTO? SERÁ QUE A TEMPESTADE QUE ESTÁ NA SUA VIDA NÃO QUER TE COLOCAR EM ALTO-MAR, TE FORÇANDO A RECOLHER A ÂNCORA E SEGUIR EM DIREÇÃO AO SEU OBJETIVO?

Quando as coisas começarem a chacoalhar, pare de reclamar, para não entrar na vibração do desprezo que faz com que você não avance.

Com isso, temos duas coisas muito importantes: a primeira delas é que diante da preocupação acabamos desprezando o que já temos, porque nossa cabeça está sempre no futuro.

A segunda delas é que as pessoas pedem coisas novas sem estar na frequência da gratidão, desprezando o que já têm.

A prosperidade quântica só germina onde existe a frequência

do reconhecimento, onde pedimos com amor o que queremos e agradecemos com mais amor ainda pelo que já temos, ampliando nossa frequência de gratidão e reconhecimento.

Sei que você conquistou muitas coisas e que sempre foi difícil, mas não precisa ser assim. Aliás, o papo de que "tudo é difícil e a vida é assim mesmo" é crença limitante, lembra?

E você já não tem mais essas ideias.

Chega! Você percebeu, ao longo deste livro, que alguns sentimentos como rejeição, não merecimento, medo e culpa são personagens ativos dentro de uma vida bloqueada.

Eles exercem a força contrária do ímã, te afundam de maneira a criar a sensação de que nada funciona para você.

São sentimentos muito profundos atuando na sua vida, te impedindo de acelerar a Lei da Atração.

É preciso identificá-los e transmutá-los para chegar à vibração do amor e da gratidão – exatamente o que fizemos ao longo desta obra, mas é preciso insistir para criar novos hábitos que te mantenham numa frequência de prosperidade.

Ao final do livro vou deixar algumas técnicas que aplico sempre que sinto a necessidade de entrar numa sintonia de abundância. Elas me ajudam muito, e sei que vão te ajudar também. Vale a pena você estudá-las.

Porém, quando tratamos da abundância, ganhar dinheiro não é uma atividade iluminada como meta de vida, porque isso deve ser consequência de um propósito maior.

Sendo assim, acreditar que o dinheiro é a solução para todos os nossos problemas nos fará persegui-lo como se não pudéssemos ser felizes de outra forma.

No entanto, ele não compra o amor dos familiares, a paz espiritual, muito menos a harmonia para tomarmos as melhores decisões a cada dia.

O dinheiro é apenas uma ferramenta que precisamos saber usar da melhor forma para conseguirmos atingir objetivos maiores, mais nobres.

A frequência do desprezo e o medo de ganhar dinheiro, por exemplo, também podem ser um problema, pois provocam acomodações e limitam os caminhos, bloqueando coisas boas que estavam chegando para você.

Não abrir o próprio negócio por receio de não conseguir recuperar o dinheiro ou não concorrer a uma vaga de emprego com um salário maior por medo de não saber lidar com as responsabilidades é deixar o medo do futuro tomar conta do seu presente, é deixar o dinheiro te controlar.

> **"**
>
> Se controlarmos a nossa riqueza, seremos ricos e livres. Se deixarmos a riqueza nos controlar, seremos, certamente, pobres.
>
> **Edmund Burke**

A relação que temos com o dinheiro pode melhorar se seguirmos os sete passos que estudei com os escritores e mentores Bruno Gimenes e Patrícia Cândido, no livro *Conexão com a prosperidade*:

- Eliminar injustiça e crenças limitantes;
- Palavras de ordem: organização e metas;
- Vencer a solidão;
- Gratidão pelas contas;
- Você não é seu dinheiro;
- Doar-se;
- Dinheiro versus outras áreas da vida.

Injustiça e crenças limitantes: quando nós acreditamos que somos vítimas de uma injustiça ou repetimos frases que crescemos ouvindo, limitamos o campo energético ao nosso redor, transformando potência positiva em caminhos bloqueados rumo à prosperidade. A vitimização ou a reprodução do mesmo pensamento de nossos pais não nos ajuda a melhorar a forma como lidamos com o dinheiro, e sim nos afasta cada vez mais de uma boa relação com ele.

Palavras de ordem: organização e metas. A organização das finanças é primordial para que o dinheiro se torne uma ferramenta de longo prazo. Junto com ela, é necessário visualizar um estado desejado, trazer o futuro para o presente. Isso transforma as energias, impulsiona o planejamento e faz com que você sinta na pele a realização de um sonho.

Vencer a solidão: nós sentimos essa solidão quando sentimos uma ausência de propósito em nossa vida e, muitas vezes, tentamos suplantar essa ausência com compras desnecessárias e satisfação de vícios. É importante lembrar que a prosperidade é um estado de espírito que vem de dentro para fora. Dessa forma, a utilização do dinheiro de forma desordenada e supérflua pode trazer prazeres de curto prazo, mas não traz o bem-estar da alma.

Gratidão pelas contas: as palavras têm um poder infinito. Então, quando maldizemos as contas que temos para pagar, estamos nos cercando de energia negativa que só aumenta o peso das obrigações, ao invés de sermos gratos pelos serviços básicos que temos condições de manter. Agradecer é fundamental para atrairmos abundância e prosperidade.

Você não é seu dinheiro: qual é a sua essência? Quem você é verdadeiramente? O dinheiro está mais para seu amigo ou para inimigo? Nesse ponto, o importante é resgatar dentro de si quem você é de verdade.

Quando percebemos isso, entendemos que o dinheiro apenas nos ajuda a conquistar, a comprar, a ter, mas não é nada quando o assunto é ser. Ser está longe de ter quando o assunto são as posses, as coisas materiais. O dinheiro não é complemento da sua alma.

Doar-se: a prosperidade é um movimento recíproco. Então, é preciso doar para poder receber em troca. Quando doamos, seja tempo, carinho, amor, dinheiro, paciência ou alguma habilidade, estamos mantendo o fluxo de energia e prosperidade aberto.

Dinheiro versus outras áreas da vida: a prosperidade financeira deve ser combinada à prosperidade em todas as outras áreas da vida, como a pessoal e a profissional. O dinheiro não pode ser algo à parte. As conquistas pessoais e profissionais e a relação com o dinheiro estão diretamente ligadas.

Quais são as palavras que saem da sua boca?

Percorrer o caminho da prosperidade significa conquistar sucesso em sua vida pessoal, emocional, profissional, intelectual e espiritual.

A partir do momento em que nos abrimos para o mundo, que é infinito em suas possibilidades, fazemos a energia da abundância, da prosperidade e da riqueza fluir em nossas vidas.

As palavras têm um poder enorme, você já deve ter percebido isso.

Quando usamos palavras de reclamação e de maldição, criticando e julgando as outras pessoas e nós mesmos, essas palavras são apenas uma manifestação do modo como pensamos.

Nós somos uma máquina de produzir pensamentos, que nossas palavras vão representando.

Para descobrir como está o pensamento de alguém, basta observar as palavras que saem da sua boca.

Você está atento ao que anda dizendo?

Muitas pessoas passam a vida, mesmo sem notar, em um estado bastante comum, que é a frequência do desprezo.

Você sabe que uma pessoa está vivendo nessa frequência quando ela ignora e despreza tudo de bom e todas as bênçãos que tem na vida.

Podem ser as bênçãos mais simples do mundo.

Por exemplo, vamos supor que eu ganhei um presente, uma caneta. E aí, quando eu ganho esse presente, penso: *"Ah, é só uma caneta. Um presente baratinho. Não é nada especial, não vai mudar minha vida. Não vou ficar rico só porque ganhei uma caneta."*

Sabe o que o Universo está captando?

O meu desprezo pela bênção que recebi.

"Mas, William, é só uma caneta!"

Eu sei. Mas o Universo não sabe.

Ele só sabe qual foi a vibração que eu emanei quando chegou alguma coisa nova na minha vida.

Quando você vai fazer um almoço e não comemora, não agradece ou não prepara aquela refeição com carinho, você está emanando para o Universo uma vibração de desprezo pelo seu alimento.

E o que ocorre quando estamos na sintonia do desprezo e olhamos para as coisas que queremos?

Permanecemos na falta, e mais da falta se manifesta na nossa vida, afinal, estamos nessa vibração.

Quando algo bom acontece e eu não reconheço, permaneço na frequência de escassez.

Então eu ganhei uma caneta e não vibrei por ela, mas quero um apartamento novo.

A pergunta aqui é: por que o Universo vai me dar coisas novas se não sei valorizar o que já tenho e o que recebi?

Qual é o grande erro das pessoas?

É pensar: *"Quando eu tiver um emprego novo, vou me dedicar, vou me arrumar, vou me vestir melhor, vou ser um funcionário mais dedicado, vou ser um coordenador mais inteligente, vou fazer cursos para poder me aperfeiçoar".*

Elas não reconhecem a empresa em que estão, não reconhecem o momento que vivem, por isso nunca vão chegar à empresa nova. Se dedicar, se arrumar e fazer cursos tem que ser feito nessa empresa onde você está agora, no presente.

Entenda: abençoar é reconhecer a bênção que chegou na sua vida, para não ficar na frequência do desprezo.

> Quando entendemos que os nossos pensamentos controlam a nossa vida, e que a única coisa que temos que controlar é a nossa maneira de pensar, adquirimos um poder que é quase milagroso. Esta consciência nos dá enormes possibilidades para melhorar a qualidade de nossas vidas e nos libertar do medo. E lembre-se: o medo, assim como todas as outras coisas em que acreditamos, são somente pensamentos, e pensamentos podem ser mudados.
>
> **Louise Hay**

Quando eu entro no meu apartamento hoje, a primeira coisa que vejo é um adesivo que coloquei bem na fechadura.

A imagem dele é um par de mãozinhas em prece, para eu me lembrar de agradecer.

E eu agradeço porque todos os dias tenho para onde voltar: *"Apartamento abençoado, eu cheguei. Obrigado por você existir"*.

Por esse motivo, já comprei outros imóveis, porque eu abençoo o que tenho. Eu não fico olhando para o outro, para o que ainda não tenho.

O seu carro pode ser velho, pode não ser ainda o carro que você quer, mas reconheça a bênção que é ter um carro que te faz feliz e te leva para onde você deseja ir.

Na próxima vez que entrar no seu carro, diga: *"Carro abençoado, obrigado por você existir. Eu te amo e está tudo bem"*.

A partir de agora, você vai para um novo estágio, porque a sua vibração elevada vai te conectar com aquele outro carro que está lá te aguardando.

Você não precisa ficar preso no que tem, mas quando amaldiçoa o que tem, quando não o reconhece, não consegue ir para uma realidade nova, próspera e abençoada, porque sua vibração continua sendo de escassez, de falta. Para sair disso, você tem que trazer a gratidão para sua vida.

Durante muito tempo, falar sobre gratidão foi uma modinha, se tornou algo banal. Mas a gratidão não tem nada de banal: ela é um sentimento de poder. Quando simplesmente falamos "gratidão" da boca para fora, sem a sentirmos de verdade, não há efeito algum.

Contudo, quando esse sentimento se torna um hábito, você muda sua realidade, sua frequência se eleva e você consegue se conectar com o que deseja: seu carro novo, uma casa melhor, um relacionamento afetuoso, amigos leais.

Então, a partir de agora, a gratidão vai ser um hábito na sua vida.

Lembre-se: pensamento vira palavra, palavra vira atitude, atitude vira hábito e hábito vira realidade. Quando a gratidão se transforma em um hábito, você muda a sua realidade, porque já deu o comando para o seu cérebro.

Com esse comando, você ativa o seu sistema nervoso central, o seu corpo produz hormônios como a serotonina, que vão te dar muito mais alegria, muito mais prazer, e esses sentimentos vão elevar sua vibração. E essa vibração se conecta a tudo que existe para cocriar a sua nova realidade.

Você constrói a realidade para o apartamento, constrói a realidade para o namoro, para a viagem, porque aquilo será natural, já que você tem essa energia.

A gratidão ativa o turbo a jato!

Foguete não tem ré

A primeira vez que ouvi isso fiquei me perguntando: "Será que não tem mesmo?". Não importa, a frase é legal e motiva a gente a seguir. É gostoso falar: foguete não tem ré!

E se tem algo que ativa o turbo no seu foguete da vida é a gratidão.

Existe uma passagem bíblica muito interessante em que Jesus conta, numa parábola, a história de um homem muito rico dono de uma fazenda. Esse senhor mandou chamar três dos seus servos em quem confiava muito. Ao primeiro, deu cinco talentos; ao segundo, deu três; e, ao terceiro, deu um; de acordo com suas capacidades. Um talento, que era a moeda da época, era muito dinheiro, era o equivalente a receber uma herança. Então o senhor foi viajar. Tempos depois, quando retornou, mandou chamar os três servos. O primeiro, que havia recebido cinco talentos, multiplicara o dinheiro e agora devolvia dez talentos ao senhor. O segundo, que havia recebido três talentos, também os multiplicara, e devolvia seis ao senhor. Mas o terceiro, com muito medo de perder o dinheiro de seu senhor, enterrara o seu talento num buraco, para que ninguém o tomasse nem o perdesse. O senhor ficou muito contente com os dois primeiros, mas foi muito severo com o terceiro.

É nessa passagem que está escrito que *"a quem muito tem, mais será dado, porém a quem nada tem, até o pouco que tem lhe será tirado".*

Durante longos anos, considerei isso muito injusto. Eu questionava como podia ser que aquele que tinha mais receberia mais, e aquele que tinha pouco ainda ia perder o que tinha. Mas, claro, como sou estudioso, fui procurar entender o significado dessa parábola e compreender uma das coisas que Jesus queria nos ensinar.

Então, se você relacionar essa parábola com a gratidão, como eu estava te explicando, veja como fica: a quem reconhece e agradece o que tem, mais será dado.

Mas a quem despreza o que tem, tudo será tirado.

É fundamental entender o quanto a gratidão, o simples fato de reconhecer o que nós temos, aumenta o potencial da nossa assinatura energética, que nos conecta com toda a realidade que estamos querendo cocriar.

Se você está acelerando a Lei da Atração e quer ter mais dinheiro, mais aplicações, mais viagens ou apenas quer mudar a vida da sua família, reconheça o lugar onde está hoje e o abençoe.

Abençoar o que tem hoje não significa que você quer continuar com isso, apenas que reconhece as bênçãos que já recebeu.

Respire profundamente. Tenho certeza de que, se você chegou até aqui, depois de ter feito todos os exercícios propostos neste livro, já está sentindo os efeitos da Lei da Atração Acelerada na sua vida.

A Lei da Atração sempre funciona, independentemente de acreditarmos ou não nela. Por isso que é uma lei.

Para Deus, o Grande Criador, tudo é possível, tudo já existe e está disponível no Universo.

Tudo o que nós, cocriadores, temos de fazer é nos conectarmos ao que queremos. Se antes você não estava vivendo a realidade que sempre desejou, é porque estava vibrando numa frequência baixa, de escassez. Consequentemente, estava cocriando uma realidade de escassez.

Mas agora você tem consciência, tem entendimento e tem todas as ferramentas de que precisa para mudar a sua vida e cocriar uma nova realidade. Nada do que compartilhei com você neste livro é mera teoria.

Tudo é fruto de muito estudo, muita dedicação e muito trabalho. Eu apliquei todas essas técnicas na minha vida e foi assim que consegui construir a realidade próspera que vivo hoje.

Sem dúvida, este é o livro mais poderoso que você já leu. E o melhor é que agora ele é seu. Você poderá reler muitas e muitas vezes. E a cada releitura será um novo olhar, porque você está se desenvolvendo.

A pessoa que está lendo esta conclusão já não é a mesma que leu a introdução. Por isso, a cada vez que você recomeçar, terá uma visão nova, novos downloads virão para você, novos objetivos serão trabalhados e novas realidades serão cocriadas.

O Universo é infinito e abundante. A nossa prosperidade também pode ser infinita e abundante. Para isso, basta estarmos conectados na vibração certa.

Eu espero, do fundo do meu coração, ter aberto esse caminho para sua vida. Este é um caminho para sempre, porque é treino, estudo, observação e insistência. Siga em frente, siga firme.

Você nasceu para o melhor! Só aceite o melhor!

Como não posso te abraçar agora, espero que minhas palavras tenham te abraçado carinhosamente.

WILLIAM SANCHES

Liste os três principais downloads que você fez ao longo desse livro:

_____

_____

_____

_____

_____

_____

_____

_____

_____

_____

_____

_____

_____

_____

_____

Qual foi a chave para perceber que a Lei da Atração não estava fluindo como deveria ser?

_____

_____

_____

_____

_____

_____

_____

_____

_____

_____

_____

_____

_____

_____

_____

Qual novo hábito você percebeu e desenvolveu ao longo desse processo?

_____

_____

_____

_____

_____

_____

_____

_____

_____

_____

_____

_____

_____

_____

Capítulo 21

TÉCNICAS EXPRESS PARA ACELERAR A

Lei da Atração

"Se você duvida de que pode ter algo, está emitindo uma vibração negativa. Essa vibração negativa está diluindo ou anulando a vibração positiva de seu desejo. Em outras palavras, desejar fortemente (vibração positiva) e duvidar fortemente (vibração negativa) anulam-se mutuamente."

Michael J. Losier, *A Lei da Atração*

Dinheiro mágico

Quando falamos em Lei da Atração, estamos falando também sobre o seu dinheiro, pois é esse fluxo de prosperidade que fará você ter todas as coisas que deseja.

Muitas vezes, sem perceber, pegamos no nosso dinheiro e usamos frases ou expressões que o desprezam.

Você já aprendeu sobre a frequência do desprezo, que é a falta de estima ou até o desdém pelas coisas que você possui, inclusive o seu dinheiro.

Imagine a vibração que emanamos quando dizemos que o dinheiro é sujo, quando achamos que ser rico é ser desonesto ou que, se você tiver dinheiro, estará cercado de interesseiros.

Ou quando você pega o dinheiro, por exemplo, e diz assim: *"Ah, é só moeda. Não quero, não"* ou *"Deixa pra lá essas moedas, que eu não vou querer, não"*.

Na verdade, você está dizendo que não quer dinheiro.

Essa é uma energia que acaba bloqueando a chegada do dinheiro até você. Toda energia do dinheiro precisa ser observada e cuidada. O que você sente quando vê ou pensa em muito dinheiro? Isso dirá muito sobre suas crenças!

Observe qual é a sua reação quando confrontado com a energia do dinheiro. O que você sente quando vê a imagem de um monte de dinheiro? Respire fundo, se concentre, sinta, identifique que emoção é essa e como ela faz você vibrar.

A técnica do dinheiro mágico vai conectar você com a vibração da gratidão pelo seu dinheiro e vai te fazer aprender, respeitar e conviver com sua prosperidade!

Para começar, você vai recortar um pedaço de papel (ou pode usar um Post-it) e vai escrever assim: *"Obrigado por todo dinheiro que recebi ao longo da vida"*.

Quando fizer isso, sinta gratidão por todo o dinheiro que já veio até você, por infinitas fontes, pelos infinitos serviços e trabalhos que já prestou, pelos empregos que teve, pela empresa em que trabalha ou trabalhou, pelos produtos que já vendeu. Prenda esse papel numa nota de dinheiro, de qualquer valor.

Quando terminar de fazer isso, você terá criado o seu dinheiro mágico. Ele ficará com você durante sete dias.

Todas as vezes em que abrir a bolsa ou a carteira, pegue o dinheiro e agradeça, falando ou mentalizando: *"Obrigado por todo o dinheiro que recebi ao longo da minha vida"*. Depois, guarde seu dinheiro mágico de volta na bolsa ou na carteira. Durante sete dias, você não vai gastar essa nota.

Diariamente, você vai fazer esse exercício.

Vai pegar a nota e agradecer, e assim começará a ver o dinheiro vindo para você das mais diferentes formas.

Pode ser que você encontre uma nota esquecida num bolso de uma calça ou no fundo de uma bolsa, pode ser que receba dinheiro inesperado, talvez alguns processos que estavam enroscados finalmente andem, você pode ter um aumento de salário ou pode ser que alguém te convide para almoçar e pague a conta.

O dinheiro pode chegar a você de muitas formas, portanto, fique atento.

Isso tudo será possível porque você estará na vibração da gratidão pelo seu dinheiro. Diga sempre: "Tudo vem a mim com facilidade, alegria e glória, inclusive o meu dinheiro".

Depois de sete dias de técnica, agradeça ao dinheiro mágico e faça o que quiser com a nota. Não precisa guardá-la para sempre.

Dinheiro é fluxo, então pode fazer o que quiser com ele: gastar, investir, colocar na poupança...

Cartão quântico

Essa é uma prática muito fácil e poderosa.

Você já aprendeu a definir objetivos. Agora, vai escolher um deles para aplicar essa técnica.

Para criar o seu cartão quântico, pegue uma cartolina, ou um papel mais grosso, e corte do tamanho de um cartão de crédito. Eu gosto de usar um papel amarelo, que é a cor da prosperidade. Mas você pode ficar à vontade para fazer da cor que achar melhor ou que gostar mais.

Com o seu cartão já cortado, você vai escolher um dos seus objetivos para escrever no cartão, sempre usando o tempo presente, como se o seu objetivo já fosse realidade.

É imprescindível que você escreva no presente e tudo muito claro, positivo e alegre. Sinta como se isso já tivesse sido realizado para você.

Por exemplo, vamos imaginar que você queira emagrecer trinta quilos. Vamos supor que você pese cem quilos e queira chegar aos setenta.

Então, você vai escrever no seu cartão: *"Estou muito feliz e grato agora que peso setenta quilos"*. Ou seja, você vai escrever o seu objetivo como se ele já fosse real agora. Outro exemplo: *"Estou muito feliz e grato agora que comprei o meu apartamento"*, e vai colocar a data de compra, mesmo que seja uma data distante.

Mantenha seu cartão quântico com você por pelo menos 21 dias, lendo o que está escrito nele uma vez por dia no mínimo.

O cartão quântico funciona da seguinte forma: ao tê-lo em suas mãos, você acionará o fator sensorial do tato, enviando uma mensagem através do seu sistema nervoso central, que automaticamente atingirá uma célula do seu cérebro. Essa célula será ativada e conectada a todas as outras células. Então, sua taxa de vibração começará a aumentar, e uma imagem irá se abrir em alta velocidade na sua tela mental, projetando a realidade que está escrita em seu cartão quântico.

Todas as vezes que você pegar o cartão quântico, vai ler esse objetivo como se ele já tivesse se realizado, mas não basta ler – você também tem que sentir que o seu objetivo foi concretizado.

Você precisa se divertir com a realização do seu sonho.

Sinta como é gostoso ter a bênção escrita no seu cartão e sinta a energia de todo esse processo neural e quântico.

A grande sacada está no sentimento, na vibração, em curtir o que o seu cartão quântico está fazendo por você.

Mas atenção: eu sei que você tem muitos objetivos e pode querer fazer muitos cartões quânticos de uma vez só.

Sabe o que é isso? É a danada da ansiedade batendo na sua porta.

Lembra que fizemos um acordo lá na introdução deste livro? Você vai dizer: *"Não, ansiedade, eu não quero você na minha vida agora"*.

Então, não se afobe. Faça um cartão quântico de cada vez.

Um objetivo por vez.

Divirta-se com ele durante 21 dias.

Depois, você pode fazer com outros objetivos. Mais tarde, quando já estiver bem mais acostumado, você até pode voltar aos outros cartões.

Ímã de dinheiro

Todo mundo quer ser um ímã de dinheiro.

Se eu perguntar para as pessoas, elas vão dizer: *"Sim, William, eu quero ser um ímã de dinheiro. Eu quero que o dinheiro venha para mim"*.

E o que aprendemos com a Lei da Atração?

Que somos um ímã atraindo tudo o que pensamos, sentimos e vibramos. Então, para ser um ímã de dinheiro, precisamos pensar, sentir e vibrar na energia do dinheiro.

E como isso começa?

Para ser um ímã de prosperidade, é necessário, primeiramente, honrar todas as pessoas que um dia já investiram em você, seja com alimentação, roupa, casa, remédios, estudos ou o que for. Abençoe todas as pessoas que te ajudaram ao longo de sua vida.

"Mas, William, ninguém me ajudou, ninguém nunca fez nada por mim."

Será que isso é mesmo verdade? Claro que não.

Quando você nasceu, era um bebê indefeso e, se sobreviveu até a vida adulta, é porque muita gente possibilitou que isso acontecesse. Vamos ver? Alguém comprou leite para você, te vestiu, trocou suas fraldas, te deu comida.

Quando você ficou doente, te levaram ao hospital, os médicos que estavam lá te deram o medicamento e dedicaram a você o tempo deles.

Se você está lendo este livro, alguém pagou pelos seus estudos, ou você não saberia ler. Ao longo da sua vida, outras pessoas tiveram despesas com você, gastaram o dinheiro delas com você.

"Mas eu não tive meus pais, morei num orfanato."

"Eu só tive acesso a hospitais públicos."

"Eu estudei em escola pública."

Mesmo assim, existe o dinheiro de alguém custeando tudo isso. Se você morou num orfanato, alguém investiu para que o orfanato pudesse existir. Se você frequentou escolas e foi a hospitais públicos, outras pessoas pagaram impostos para que esses hospitais e escolas funcionassem e te recebessem. A grande verdade é que, para que nós pudéssemos estar aqui, agora, depois de todos esses anos da nossa vida, outras pessoas precisaram investir o dinheiro delas em nós.

Quando abençoamos e agradecemos todo o dinheiro que foi investido na nossa existência e no nosso desenvolvimento, estamos dizendo ao Universo: *"Pode mandar mais para mim, porque eu estou num fluxo de prosperidade e o dinheiro vem a mim como um ímã, com facilidade, alegria e glória".*

Portanto, tire um tempo para fazer uma lista com os nomes de todas as pessoas que gastaram alguma quantia com você até hoje.

Enquanto escreve, vá abençoando essas pessoas, com muita gratidão, com muito amor a todo mundo que te ajudou a chegar aqui até hoje.

Além disso, pegue um pedaço pequeno de papel, ou um Post-it, e escreva: *"Obrigado por todo o dinheiro que eu recebi ao longo da minha vida".* Em seguida prenda esse papel numa nota de dinheiro de qualquer valor.

Agora vem o passo mais importante: você vai deixar essa nota em algum lugar bem visível da sua casa. É fundamental que ela esteja à mostra, que você a veja sempre, várias vezes por dia. Ver o dinheiro vai trazer essa energia para sua vida.

Se mais pessoas morarem com você e, por isso, não puder usar dinheiro de verdade, não tem problema. Pegue uma nota original, faça uma cópia colorida frente e verso ou imprima uma nota de dinheiro colorida.

O seu cérebro não vai saber se é verdadeiro ou falso. O importante é a energia que será ativada a partir de agora, todas as vezes que você olhar para esse dinheiro.

"Ah, William, qual é o lugar ideal para deixar a nota?"

Você pode colar na geladeira, no seu guarda-roupa ou na sua mesa do escritório.

O lugar especificamente não importa, desde que você mantenha sempre esse dinheiro abençoado por perto e à vista – e agradeça por ele.

Banho quântico

Para encerrar, vou te ensinar o banho mais poderoso da sua vida: o banho quântico.

Eu sei que, muitas vezes, o único tempo disponível é a hora do banho, e esse acaba sendo seu único momento de reflexão e relaxamento. Quantas vezes você estava tomando banho quando teve uma boa ideia ou se lembrou de alguma coisa importante?

Isso acontece porque, quando relaxamos, muitas informações voltam para a nossa mente consciente.

Vale lembrar que nós temos duas mentes: a consciente e a inconsciente. Na mente consciente, está a nossa memória de curto prazo, é por onde absorvemos as informações. É a nossa mente racional. Na mente inconsciente, temos as nossas memórias mais antigas, nossos traumas, medos, angústias e crenças.

Tudo aquilo em que acreditamos com muita força está no nosso inconsciente. Porém, como já vimos, muitas dessas informações não são nem nossas: podem ter vindo dos nossos pais ou da sociedade. E nós ficamos alimentando crenças lá de trás, dos nossos ancestrais.

Também já vimos que a forma de mudar isso é treinar a nossa mente. E é exatamente isso que você vai fazer com a técnica do banho quântico. Você vai usar esse momento do seu dia para começar a criar imagens mentais por meio de visualização. Sua mente vai criar uma realidade que vai te trazer um forte sentimento em relação ao seu objetivo, elevando sua vibração para conectar com seu desejo.

O que você vai fazer é projetar a mente para o futuro e vivenciar, dentro desse banho, exatamente como vai se sentir quando tiver alcançado seu objetivo. Assim, você faz com que seu pensamento, sentimento e vibração entrem em consonância com a realidade próspera que você quer viver, acelerando a Lei da Atração.

A primeira coisa é escolher um objetivo (apenas um, para colocar foco). Vamos imaginar que você queira um apartamento novo. Então, você já vai entrar no banho com esse objetivo em mente. Se puder, coloque para tocar uma música bem alegre, pra cima, que faça você se sentir bem. A música se conecta com suas ondas cerebrais e isso impulsiona o exercício muitas vezes mais.

Então, depois de colocar a sua música, você vai entrar no banho, vai ligar a água e mentalizar que ela está te abençoando de maneira próspera, até que seu objetivo esteja realizado. Voltando ao exemplo de querer comprar um apartamento, você vai se ver tomando banho dentro desse imóvel novo.

Esse é um exemplo que sempre uso. Sabe por quê?

Porque eu mesmo fiz isso quando queria comprar o meu apartamento. Colocava a minha música, entrava no banho, deixava a água escorrer pelo meu corpo me abençoando, e, de olhos fechados, eu via como era o azulejo do banheiro novo, como era o chuveiro, como seria o quarto, o corredor, a sala, a cozinha. Automaticamente, o que acontecia? A música me ajudava a elevar minha vibração, a minha mente criava uma realidade, todo o meu sentimento se conectava com amor àquele objetivo, e eu me via naquele apartamento. Tudo era muito forte e real na minha mente, por isso, consegui comprá-lo em pouco tempo. Quando fui pesquisar na internet, vi o anúncio e mandei uma mensagem para a corretora. Eu lembro que eram quatro horas da tarde quando ela me ligou de volta. Quando fomos até lá e ela abriu a porta do apartamento, eu disse:

— É esse!

Ela ainda argumentou:

— Mas você nem viu o apartamento ainda.

E eu respondi:

— Não importa, eu já conheço esse apartamento.

— Ah, você já veio visitar?

— Não. Ele estava aqui dentro — respondi, apontando para minha mente.

E é impressionante, pois o apartamento é exatamente como eu queria, como eu cocriei no meu banho quântico.

Esse exercício é poderosíssimo.

É claro que não adianta você fazer uma vez e falar que já está bom.

Não, a sua mente precisa se conectar ao seu desejo, ao sentimento do objetivo realizado, todos os dias. Eu fiz esse banho por pelo menos três meses.

E, claro, enquanto isso fui trabalhando, me organizando financeiramente.

Assim, quando a oportunidade surgiu, eu tinha também a oportunidade financeira para que aquela realidade fosse cocriada.

Pode ser que agora você ainda não tenha dinheiro para comprar o apartamento, o carro ou a viagem dos seus sonhos, ou que ainda não possa ter o namorado que deseja.

Você pode estar sem condições financeiras ou emocionais, não tem problema!

Jogue a sua mente para o futuro e sinta-se dentro desse banho exatamente como você quer se sentir.

Isso acelera a Lei da Atração e você faz com que o seu pensamento, seu sentimento, sua vibração entrem em consonância com aquela realidade abençoada que você quer viver.

Quando você terminar o exercício, quanto tiver mentalizado,

visualizado e sentido como se o seu objetivo já fosse real, abra os olhos, termine de tomar seu banho na realidade de agora e abençoe o chuveiro, o banheiro e a casa onde você está.

Reconheça os bens que tem agora.

Lembre que a energia da gratidão é essencial.

Pode parecer bobeira, mas, se você não agradece, permanece na frequência do desprezo, e nada disso se realiza para você.

Você pode cocriar uma nova realidade.
O poder está na sua mente.

Referências

BYRNE, Rhonda. *O maior segredo*. Rio de Janeiro: Harper Collins, 2020.

_____. *O poder*. Rio de Janeiro: Sextante, 2018.

_____. *O segredo*. Rio de Janeiro: Sextante, 2015.

_____. *A magia*. Rio de Janeiro: Sextante, 2014.

DISPENZA, Joe. *Como criar um novo eu*: descubra o método quântico para controlar a sua mente e mudar a sua vida. Alfragide: Lua de Papel, 2019.

DWECK, Carol S. *Mindset*: a nova psicologia do sucesso. São Paulo: Objetiva, 2017.

FOGG, B J. *Micro-hábitos*: pequenas mudanças que mudam tudo. Rio de Janeiro: Harper Collins, 2020.

GIMENES, Bruno. *Seja rico*: checklist para elevar seu nível financeiro. Nova Petrópolis: MAP – Mentes de Alta Performance, 2020.

_____. *Como ser um ímã para o dinheiro*: técnicas poderosas para atrair o sucesso financeiro. Nova Petrópolis: Luz da Serra, 2020.

_____. *O tratado da prosperidade*. Nova Petrópolis: Luz da Serra, 2019.

GIMENES, Bruno; CANDIDO, Patrícia. *Conexão com a prosperidade*. Nova Petrópolis: Luz da Serra, 2019.

GIMENES, Bruno; CANDIDO, Patrícia. *O criador da realidade*: a vida dos seus sonhos é possível. Nova Petrópolis: Luz da Serra, 2010.

GOLEMAN, Daniel. *Inteligência emocional*: a teoria revolucionária que redefine o que é ser inteligente. São Paulo: Objetiva, 2012.

GOSWAMI, Amit. *O universo autoconsciente*: como a consciência cria o mundo material. 3. ed. São Paulo: Goya, 2020.

_____. *A janela visionária*: um guia para a iluminação por um físico quântico. São Paulo: Cultrix, 2019.

_____. *Consciência quântica*: uma nova visão sobre o amor, a morte e o sentido da vida. São Paulo: Aleph, 2018.

HAY, Louise L. *Amar a vida, confiar na vida*. Lisboa: Pergaminho, 2019.

HICKS, Esther. *Peça e será atendido*: aprendendo a manifestar seus desejos. São Paulo: Sextante, 2020.

_____. *A Lei Universal da Atração*. Rio de Janeiro: Sextante, 2007.

HILL, Napoleon. *A chave para a prosperidade*. Porto Alegre: Citadel, 2020.

_____. *A ciência do sucesso*. Porto Alegre: Citadel, 2018.

_____. *Quem pensa enriquece*: o legado. Porto Alegre: Citadel, 2018.

_____. *O manuscrito original*: as leis do triunfo e do sucesso de Napoleon Hill. 2. ed. Porto Alegre: Citadel, 2017.

_____. *A escada para o triunfo*. Porto Alegre: Citadel, 2016.

_____. *Mais esperto que o Diabo*: o mistério revelado da liberdade e do sucesso. Porto Alegre: Citadel, 2014.

LOSIER, Michael J. *A Lei da Atração*. 2. ed. São Paulo: LeYa, 2020.

MURPHY, Joseph. *O poder do subconsciente*. 89. ed. Rio de Janeiro: BestSeller, 2019.

PONDER, Catherine. *As leis dinâmicas da prosperidade*. 3. ed. Barueri: Novo Século, 2020.

ROBBINS, Tony. *Desperte o seu gigante interior*: como assumir o controle de tudo em sua vida. 33. ed. Rio de Janeiro: BestSeller, 2017.

SANCHES, William. *Destrave seu dinheiro*: método express de cocriação de nova realidade financeira. Porto Alegre: Citadel, 2020.

_____. *Desperte a sua vitória*: método poderoso para destravar suas crenças limitantes e criar uma nova realidade. Nova Petrópolis: Luz da Serra, 2020.

WATTLES, Wallace Delois. *A ciência de ficar rico*. 9. ed. Rio de Janeiro: BestSeller, 2013.

WILLIAM SANCHES

Te espero nas redes sociais

 www.williamsanches.com

Canal William Sanches
Canal Lei da Atração Sem Segredos

@williamsanchesoficial

/williamsanchesoficial

/williamsanchesoficial

Conheça os meus livros

Método de Ativação Quântica YellowFisic – Afirmações Mágicas de Poder

Destrave seu Dinheiro – Método Express de Cocriação de Nova Realidade Financeira

Em Mim Basta! – O Poder de Pular Fora Quando Nada Mais Faz Sentido

50 perguntas sobre Lei da Atração para Iniciantes

Livros para mudar o mundo. O seu mundo.

Para conhecer os nossos próximos lançamentos
e títulos disponíveis, acesse:

🌐 www.**citadel**.com.br

f /**citadeleditora**

📷 @**citadeleditora**

🐦 @**citadeleditora**

▶ Citadel - Grupo Editorial

Para mais informações ou dúvidas sobre a obra,
entre em contato conosco pelo e-mail:

✉ contato@**citadel**.com.br